고등학교 졸업자격 검정고시

검정고시 입시 고수들의
만점 전략 수험서

검고수 도덕

최신
개정판

한양학원 수험서 ― 편집부 저

만점전략서

도서
출판 국자감
www.kukjagam.co.kr

CONTENTS

검정고시 만점 전략

1. 개정 교육과정의 특징
① 이전 교육과정에 비해 내용이 증가하였다.
② 동·서양의 사상, 사상가 내용에 대한 비중이 증가하였다.
③ 가족 윤리 내용이 다소 감소하였고, 친구 간 윤리와 이웃 간 윤리는 내용에서 없어졌다.
④ 국가와 시민 윤리 단원이 새롭게 추가되었다.
⑤ 평화와 윤리 내용도 전체적으로 난이도가 상향 조정되었다.

2. 개정 교육과정 학습법
이전 교육과정에 비해 내용이 어려워져서 공부량이 늘었다. 특히 동·서양의 사상 내용 비중이 상당히 증가하여 학생들이 어려움을 많이 느낄 것이다. 여러 번 반복 학습이 필요하다. 많이 보고 이해하여야 한다. 출제 유형도 이전 교육과정에 비해 많이 달라지기 때문에 새로운 유형의 문제를 많이 풀어보는 것도 고득점에 도움이 될 것이다.

01. 현대의 삶과 실천 윤리

01. 현대 생활과 실천 윤리

(1) 현대 사회의 다양한 윤리적 쟁점

1) 윤리의 의미와 특징

① 윤리의 의미 : 인간으로서 지켜야 할 행동의 기준이자 규범

② 윤리의 특징

    ㉠ 어떤 대상을 평가하는 성격을 지님

    ㉡ 집단에서 지켜야 할 행동 양식의 성격을 지니고 있으며 규범성을 띠고 있음

2) 현대 사회와 새로운 윤리 문제

① 등장 배경 : 과학 기술의 급속한 발달로 과거에는 나타나지 않았던 새로운 윤리 문제에 직면함

② 특징

    ㉠ 파급 효과가 광범위해짐

    ㉡ 책임 소재를 가리기 어려움

    ㉢ 전통적인 윤리 규범만으로 해결하기 어려움

③ 현대 사회의 다양한 윤리적 쟁점들

구분	핵심 쟁점
생명 윤리	인공 임신 중절, 자살, 안락사 등의 삶과 죽음 및 생명의 존엄성 등에 관한 쟁점
성과 가족 윤리	사랑과 성의 관계, 성 상품화, 성의 자기 결정권 등에 관한 쟁점
사회 윤리	직업 윤리 문제, 공정 분배 및 처벌과 관련된 문제, 시민 참여와 시민 불복종 등에 관한 쟁점
과학 기술과 정보 윤리	과학 기술의 가치 중립성과 사회적 책임 문제, 정보 기술과 매체의 발달과 관련된 문제 등에 관한 쟁점
환경 윤리	인간과 자연의 관계, 생태계의 지속 가능성 문제 등에 관한 쟁점
문화 윤리	예술 및 대중문화, 다문화, 종교 문제 등에 관한 쟁점
평화 윤리	사회 갈등 문제, 통일 문제, 국제 사회의 분쟁과 국가 간 빈부 격차 문제 등에 관한 쟁점

(2) 실천 윤리학의 성격과 특징

1) 윤리학의 의미와 특징

① 윤리학의 의미 : 사회의 승인을 통해 구속력을 지니고, 당위적 형식으로 제시되는 규범과 가치의 총체인 도덕을 연구 대상으로 삼는 학문

② 윤리학의 분류

  ㉠ **규범 윤리학** : 도덕적 행위의 근거가 되는 도덕 원리나 인간의 성품에 관해 탐구하고, 이를 바탕으로 도덕적 문제의 해결과 실천 방법을 제시함

  ㉡ **메타 윤리학** : 도덕 언어의 의미를 분석하고 도덕적 추론의 정당성을 검증하기 위한 논리를 분석함

  ㉢ **기술 윤리학** : 도덕 현상과 문제를 명확하게 기술하고, 현상들 간의 인과 관계를 설명함

③ 이론 윤리학과 실천 윤리학

  ㉠ **이론 윤리학** : 윤리적 판단과 행위 원리를 탐구하고 이에 대한 정당화에 초점을 맞춤

    예 의무론, 공리주의, 덕윤리 등

  ㉡ **실천 윤리학** : 이론 윤리를 현대 사회의 여러 문제에 적용하여 구체적인 윤리 문제를 해결하는 데 초점을 두는 학문

    예 생명 윤리, 정보 윤리, 환경 윤리 등

2) 실천 윤리학의 등장 배경과 특징

① 등장 배경 : 구체적인 행위에 대한 지침을 제공하지 못하는 이론 윤리학의 한계와 도시화, 세계화, 정보화 등의 사회 · 문화적 변화 등

② 특징

  ㉠ 구체적 · 현실적 성격을 지님

  ㉡ 학제적 성격

  ㉢ 새로운 문제를 다룸

  ㉣ 이론 윤리학과 유기적 관계

02. 현대 윤리 문제에 대한 접근

(1) 동양 윤리의 접근

1) 유교 윤리적 접근

① 도덕적 인격 완성 : 성인(聖人), 군자(君子)

㉠ 공자는 인(仁)을 타고난 내면적 도덕성으로 보았으며, 맹자는 사단(四端)이라는 선한 마음이 누구에게나 주어져 있다고 보았음

㉡ 인간은 하늘로부터 도덕적 본성을 부여받은 존재이지만, 지나친 욕구 때문에 잘못된 행동을 할 수 있음 → 경(敬)과 성(誠)을 통해 극복

② 도덕적 공동체의 실현

㉠ 오륜(五倫) : 사람들 사이의 관계성을 중시함

· 부자유친(父子有親) : 어버이와 자식 사이에는 친함이 있어야 한다.

· 군신유의(君臣有義) : 임금과 신하 사이에는 의로움이 있어야 한다.

· 부부유별(夫婦有別) : 부부 사이에는 분별이 있어야 한다.

· 장유유서(長幼有序) : 어른과 아이 사이에는 차례와 질서가 있어야 한다.

· 붕우유신(朋友有信) : 친구 사이에는 믿음이 있어야 한다.

㉡ 충서(忠恕) : 인(仁) 실천

㉢ 덕치주의 : 형벌이나 무력보다는 도덕과 예의로써 백성을 교화하는 정치

㉣ 맹자 : 항산(恒産)과 항심(恒心)

㉤ 이상사회 : 대동사회(大同社會)

2) 불교 윤리적 접근

① 연기적 세계관과 자비

㉠ **연기(緣起)** : 모든 존재와 현상에는 원인(因)과 조건(緣)이 있다는 것

㉡ **자비(慈悲)** : 자기가 소중하듯 남도 소중함

② 평등적 세계관과 주체적 인간관

㉠ **평등적 세계관** : 살아 있는 모든 존재에는 불성(佛性)이 있기 때문에 모든 생명은 평등함

㉡ **주체적 인간관** : 인간은 누구나 주체적으로 계정혜의 삼학(三學) 등과 같은 수행 방법을 통해 진리에 대한 깨달음을 얻을 수 있음 → 보살(菩薩)

③ 이상적 경지 : 열반의 경지

3) 도가 윤리적 접근

① 무위자연(無爲自然)의 삶을 강조 → 소국과민(小國寡民)

② 평등적 세계관 강조

㉠ 제물(濟物) : 세상 만물은 평등한 가치를 지님

㉡ 수양방법 : 좌망(坐忘)과 심재(心齋) 제시

㉢ 이상적 인간상 : 지인(至人), 진인(眞人), 신인(神人), 천인(天人)

(2) 서양 윤리의 접근

1) 의무론적 접근

① 의무론

㉠ 보편타당한 도덕적 의무의 존재 인정

㉡ 도덕적 행위를 해야 하는 이유는 그것이 도덕적 의무이기 때문

② 자연법 윤리

㉠ 자연법칙을 윤리의 기초로 보는 이론으로, 자연의 질서를 따르는 행위는 옳지만 그것을 어기는 행위는 그르다고 봄

㉡ 윤리적 의사 결정 : '선을 행하고 악을 피하라.' 라는 명제를 핵심으로 삼음

㉢ 아퀴나스 : 인간의 세 가지 본성 – 자기 보존, 종족 보존, 신과 사회에 대한 진리 파악

③ 칸트 윤리

㉠ 행위의 동기 중시

㉡ 이성적이고 자율적인 인간은 보편적인 도덕 법칙을 의식할 수 있음 → 도덕 법칙은 정언명령의 형식을 띰

㉢ 윤리적 의사 결정에서 보편화 가능성과 인간 존엄성의 관점에서 검토할 것을 주장함

2) 공리주의적 접근

① 특징

㉠ 행위의 결과에 초점 : 쾌락과 행복을 가져다주는 행위를 옳은 행위로 간주

㉡ 유용성(공리)의 원리에 따라 윤리적 규칙 도출

② 벤담과 밀

㉠ 벤담(양적 공리주의)

· 모든 쾌락은 질적으로 동일하며 양적 차이만 있음 → 쾌락 계산법 제시

· '최대 다수의 최대 행복'을 도덕 원리로 제시
　　　ⓛ 밀(질적 공리주의)
　　　　· 쾌락은 양적 차이뿐만 아니라 질적 차이도 고려
　　　　· 정상적인 인간은 누구나 질적으로 높고 고상한 쾌락 추구
　　③ 행위 공리주의와 규칙 공리주의
　　　㉠ 행위 공리주의 : 유용성의 원리를 '개별적 행위'에 적용하여 개별적 행위가 가져오는 쾌락이나 행복에 따라 행위의 옳고 그름을 결정함
　　　ⓛ 규칙 공리주의 : 어떤 규칙이 최대의 유용성을 산출하는지 판단한 후, 그 규칙에 부합하는 행위를 옳은 행위로 봄

3) 덕 윤리적 접근
　　① 기원 : 아리스토텔레스의 윤리 사상적 전통에 따라 행위자의 품성과 덕성을 중시함
　　② 등장 배경 : 의무론과 공리주의 비판 → 행위자 내면의 도덕성과 인성의 중요성 간과, 공동체의 전통 무시
　　③ 현대의 덕 윤리의 특징
　　　㉠ 행위자의 성품을 먼저 평가하고, 이를 근거로 행위의 옳고 그름을 판단해야 한다고 봄
　　　ⓛ 윤리적으로 옳고 선한 결정을 하려면 유덕한 품성을 길러야 한다고 봄
　　　ⓒ 매킨타이어 : 개인의 자유와 선택보다는 공동체의 전통과 역사를 더 중시, 도덕적 판단에 있어 구체적이며 맥락적 사고를 중시할 것을 주장함

4) 도덕 과학적 접근
　　① 신경 윤리학
　　　㉠ 과학적 측정 방법을 통해 이성과 정서, 자유 의지나 공감 능력을 입증하고자 함
　　　ⓛ 도덕적 판단과 행동에 있어 정서가 필수적으로 요구됨을 밝혀냄
　　② 진화 윤리학
　　　㉠ 이타적 행동 및 성품과 도덕성은 자연 선택을 통한 진화의 결과라고 주장함
　　　ⓛ 인간의 이타적 행위를 추상적인 도덕 원리가 아닌 생물학적 적응의 산물로 봄

03. 윤리 문제에 대한 탐구와 성찰

(1) 도덕적 탐구의 방법

1) 도덕적 탐구의 의미와 특징

① 도덕적 탐구 : 도덕적 사고를 통해 도덕적 의미를 새롭게 구성하는 지적 활동을 의미함

② 도덕적 탐구에서 고려해야 할 요소

    ㉠ **도덕적 추론 능력** : 도덕 원리와 사실 판단을 타당하게 제시하며 논리적으로 도덕 판단을 내리는 사고 능력

    ㉡ **타인의 입장을 배려하는 능력** : 도덕 판단을 타인에게 적용할 때에도 설득력이 있는지를 고려하는 능력

2) 도덕적 탐구의 과정

① 도덕 문제의 확인 : 도덕 원리에 따라 찬반이 나눠지는 문제인지를 판단함

② 자료 수집 및 분석 : 도덕 문제를 정확하게 이해하고 해결하기 위해 다양한 자료를 수집·분석함

③ 입장 채택과 근거 제시 : 도덕 문제를 해결하기 위한 잠정적인 결론과 근거를 제시함

④ 최선의 대안 도출 : 토론 과정을 거쳐 최선의 대안을 마련함

> 도덕 원리 검사 방법
> · 역할 교환 검사 : 상대방의 입장에서 받아들일 수 있는지를 검사하는 방법
> · 보편화 결과 검사 : 모든 사람들이 어떤 행동을 했을 때, 그 결과가 바람직하지 않다면 해서는 안 된다고 주장하는 방법

(2) 윤리적 성찰과 실천

1) 윤리적 성찰

① 윤리적 성찰 : 생활 속에서 자신의 마음가짐, 행동 또는 그 속에 담긴 자신의 정체성과 가치관에 관하여 윤리적 관점에서 깊이 있게 반성하고 살피는 태도

② 윤리적 성찰의 중요성 : 자신의 삶에 대한 도덕적 자각과 인격의 함양에 도움을 줌

2) 윤리적 성찰의 방법

① 동양
- ㉠ 거경(居敬) : 마음을 한 곳으로 모아 흐트러짐이 없게 하는 것
- ㉡ 일일삼성(一日三省) : 매일 하루의 삶을 성찰할 수 있는 세 가지 물음
- ㉢ 참선 : 인간의 참된 삶과 맑은 본성을 깨닫기 위한 수행법

② 서양
- ㉠ 산파술 : 끊임없는 질문을 통해 자신의 무지를 자각하게 돕는 방법
- ㉡ 중용 : 마땅한 때에, 마땅한 일에 대하여, 마땅한 사람에게, 마땅한 동기로 느끼거나 행함

3) 토론을 통한 성찰

① 토론의 의미 : 상대방을 설득하거나 이해하고, 이를 바탕으로 문제에 대한 최선의 해결책을 모색하는 활동
② 토론의 과정 : 주장하기 → 반론하기 → 재반론하기 → 반성과 정리
③ 토론의 필요성 : 인간은 오류의 가능성이 있는 불완전한 존재 → 토론을 통해 바람직한 해결 방안을 찾을 수 있음

1. 다음 〈보기〉에서 이론 윤리에 해당하는 것을 모두 고르면?

   ──────〈보기〉──────
   ㄱ. 덕윤리   ㄴ. 생명 윤리
   ㄷ. 환경 윤리   ㄹ. 공리주의
   ㅁ. 의무론

   ① ㄱ, ㄴ   ② ㄱ, ㄴ, ㄷ
   ③ ㄱ, ㄹ, ㅁ   ④ ㄱ, ㄴ, ㄷ, ㄹ

2. 응용 윤리 분야와 그 분야에서 제기되는 윤리적 문제를 바르게 연결한 것은?

   ① 정보 윤리 – 북한 이탈 주민들의 우리 사회 정착 문제
   ② 직업 윤리 – 사생활 침해 문제
   ③ 환경 윤리 – 예술의 상업화로 인한 문제
   ④ 생명 윤리 – 인체 실험과 관련된 윤리적 문제

3. 다음 〈보기〉에서 설명하는 윤리학은?

   ──────〈보기〉──────
   · 도덕적 언어의 논리적 타당성과 의미 분석을 주로 다룬다.
   · 윤리학적 개념의 의미를 명확하게 하려고 하는 연구에 중점을 둔다.

   ① 규범 윤리학   ② 메타 윤리학
   ③ 실천 윤리학   ④ 이론 윤리학

4. 다음 중 유교에서 강조하는 내용을 모두 고르면?

   ──────〈보기〉──────
   ㄱ. 덕치주의   ㄴ. 연기설
   ㄷ. 무위자연   ㄹ. 대동사회

   ① ㄱ, ㄴ   ② ㄴ, ㄷ
   ③ ㄱ, ㄹ   ④ ㄷ, ㄹ

5. 유교 사상에서 강조하는 오륜(五倫)에 해당되지 <u>않는</u> 것은?

① 부자유친(父子有親)
② 부부유별(夫婦有別)
③ 장유유서(長幼有序)
④ 살생유택(殺生有擇)

6. 다음에서 추구하는 유교의 이상적인 사회는?

· 모두가 하나 되어 어우러지는 사회
· 재화가 공평하게 분배되며 인륜이 구현되는 사회

① 대동사회   ② 무릉도원
③ 미륵 세상   ④ 소국과민

7. 다음 〈보기〉에서 설명하는 불교의 사상은?

─〈보기〉─

이것이 있음으로써 저것이 있고, 이것이 일어남으로써 저것이 일어난다. 이것이 없으면 저것도 없고, 이것이 없어지면 저것도 없어진다.

① 무위자연(無爲自然)
② 연기설(緣起說)
③ 충서(忠恕)
④ 제물(濟物)

8. 다음 중 불교에 대한 설명으로 옳은 것은?

① 인간은 누구나 사단을 가지고 태어난다.
② 물아일체의 경지에 도달해야 한다.
③ 인간은 해탈의 경지에 도달하면 고통에서 벗어나게 된다.
④ 제물의 경지에 이르는 방법으로 좌망(坐忘)과 심재(心齋)를 제시한다.

9. 다음에서 설명하는 불교의 이상적인 인간상을 일컫는 말은?

> · 부처의 바른 깨달음을 추구하며 지혜를 얻은 사람
> · 중생을 구제하기 위해 노력하며 자비를 실천하는 사람

① 보살(菩薩)　　　　　　　② 성인(聖人)
③ 신선(神仙)　　　　　　　④ 천주(天主)

10. 다음 〈보기〉에서 설명하는 동양의 사상은?

─── 〈보기〉 ───
> · 상선약수(上善若水), 무위자연(無爲自然)의 삶을 강조
> · 인위(人爲)에서 벗어나 문명 발달이 없는 사회를 추구

① 불교　　　　　　　　　　② 도교
③ 유교　　　　　　　　　　④ 동학

11. 다음 〈보기〉에서 설명하는 도가의 이상적인 사회는?

─── 〈보기〉 ───
> · 노자가 제시하는 무와 무욕의 사회
> · 나라의 규모가 작고 백성의 수가 적은 사회

① 유토피아　　　　　　　　② 정의로운 국가
③ 대동사회　　　　　　　　④ 소국과민

12. 다음 중 의무론적 윤리설에 대한 설명으로 옳은 것은?

① 행위의 결과가 아닌 동기를 강조한다.
② 유용성의 원리가 도덕 판단의 기준이다.
③ 의도하지 않은 결과에도 책임지는 삶을 강조한다.
④ 자연적 감정과 공감을 중시한다.

13. 다음에서 설명하는 사상가는?

> 인간 내면의 자율 도덕 법칙을 강조하며, "자신을 포함한 모든 사람의 인격을 단순한 수단으로서가 아니라 목적으로 대우하라."라는 정언명법을 제시하다.

① 밀
② 벤담
③ 칸트
④ 로크

14. 다음 글의 빈칸에 들어갈 윤리 사상으로 알맞은 것은?

> (   )은(는) 가장 좋은 결과를 가져오는 행위, 즉 '최대 다수의 최대 행복'을 산출하는 행위를 옳다고 보았다. 또한 '쾌락' 또는 '행복'을 그 자체가 목적으로 추구되는 가치, 즉 본래적 가치로 본다.

① 덕윤리
② 공리주의
③ 담론 윤리
④ 배려 윤리

15. 덕윤리에 대한 설명으로 옳지 <u>않은</u> 것은?

① 공동체적 삶을 중시한다.
② 행위자의 유덕한 품성을 길러야 한다.
③ 공리의 원리에 따른 행위를 중시한다.
④ 자발적으로 도덕적 행동을 하도록 고무한다.

16. 비판적 사고의 순기능만을 〈보기〉에서 모두 고른 것은?

─────────── 〈보기〉 ───────────

ㄱ. 성급한 결론의 예방
ㄴ. 주관적 감정의 강조
ㄷ. 합리적 사고를 통한 객관적 판단에 기여
ㄹ. 자신의 주장이나 선택에 대한 오류의 검토

① ㄱ, ㄴ   ② ㄴ, ㄹ
③ ㄱ, ㄷ, ㄹ   ④ ㄴ, ㄷ, ㄹ

17. 배려적 사고의 중요 요소에 해당되지 <u>않는</u> 것은?

① 다른 사람의 생각을 공감하는 능력
② 타인의 감정을 고려할 줄 아는 능력
③ 상대방의 처지와 입장을 이해하는 능력
④ 정보의 사실과 의견을 판별하는 능력

18. 빈칸에 들어갈 내용으로 알맞은 것은?

· 원리 근거 : _____
· 사실 근거 : CCTV를 많이 설치하면 개인의 사생활을 침해한다.
· 도덕 판단 : CCTV를 많이 설치하는 것은 옳지 않다.

① CCTV를 설치하는 것은 옳지 않다.
② 개인의 사생활을 침해하는 것은 옳지 않다.
③ CCTV는 개인의 사생활을 침해하지 않는다.
④ 개인의 사생활 보호보다 범죄 예방이 더 중요하다.

19. 다음 〈보기〉의 도덕 상황을 해결하기 위해 '갑'이 선택한 행동은?

〈보기〉

갑 : 너는 왜 내 참고서를 묻지도 않고 가져갔니?
을 : 잠깐 빌려 본 건데 그게 잘못된 건지 몰랐어.
갑 : 그러고 보니 네 입장에선 그럴 수도 있겠네.

① 입장 바꾸어 생각하기
② 비난과 질책하기
③ 지속적으로 괴롭히기
④ 잘못에 대해 추궁하기

20. 다음 〈보기〉에서 공통적으로 강조하는 내용으로 적절한 것은?

〈보기〉

· "숙고하지 않는 삶은 가치가 없다."
· "나는 매일 세 가지로 나 자신을 반성한다. '남을 위해서 일을 하는 데 정성을 다 하였는가?', '벗들과 함께 사귀는 데 신의를 다하였는가?', '스승에게 배운 것을 익히고 실천했는가?'가 그것이다."

① 윤리적 성찰
② 윤리적 토론
③ 합리적 사고
④ 배려적 사고

02

02. 생명과 윤리

02 생명과 윤리

01. 삶과 죽음의 윤리

(1) 출생·죽음의 의미와 삶의 가치

1) 출생의 의미

① 생물학적 의미 : 태아가 모체로부터 분리되어 독립된 새로운 생명체로 되는 단계

② 윤리적 의미

㉠ 인간의 자연적 성향을 실현하는 과정

㉡ 도덕적 주체로 사는 삶의 출발점

㉢ 가족 및 사회 구성원으로 사는 삶의 시작

2) 죽음의 윤리적 의미와 삶의 가치

① 죽음의 특징 : 보편성, 불가피성, 일회성, 비가역성

② 동·서양의 죽음관

동양	공자	죽음의 문제보다 현세의 윤리적 삶에 더욱 충실할 것을 강조
	석가모니	· 삶과 죽음을 하나라고 봄(生死一如) · 죽음은 또 다른 세계로 윤회하는 것이며, 현세에서 선행과 악행이 죽음 이후의 삶을 결정함
	장자	· 삶과 죽음은 기(氣)가 모였다가 흩어지는 것 · 죽음은 자연적인 현상으로 여기고 슬퍼할 필요가 없다고 봄
서양	플라톤	육체에 갇혀 있는 영혼이 죽음을 통해 영원불변한 이데아의 세계로 들어감
	에피쿠로스	· 죽음은 인간을 구성하던 원자가 흩어져 개별 원자로 돌아가는 것 · 살아있는 동안에는 죽음을 경험할 수 없으므로 죽음을 두려워할 필요가 없음
	하이데거	죽음에 대한 자각을 통해 삶을 더욱 충실하게 살 수 있다고 봄

(2) 출생 및 죽음과 관련된 윤리적 쟁점

1) 인공 임신 중절의 윤리적 쟁점

① 찬성 논거(선택 옹호주의)

· 소유권 근거 : 태아는 여성의 몸의 일부이므로 여성은 태아에 대한 권리를 지님

　　　　·자율성 근거 : 인간은 자신의 신체에 대해 자율적으로 선택할 권리가 있음

　　　　·정당방위 근거 : 여성은 자기방어와 정당방위의 권리를 지님

　　② 반대 논거(생명 옹호주의)

　　　　·잠재성 근거 : 태아는 성숙한 인간으로 발달할 가능성을 지님

　　　　·존엄성 근거 : 모든 인간의 생명은 존엄하므로 태아의 생명도 존엄함

　　　　·무고한 인간의 신성불가침성 근거 : 태아는 무고한 인간이고, 무고한 인간을 해치는 행위는 옳지 않음

2) 자살의 윤리적 쟁점

　　① 자살의 문제점 : 인격과 생명 훼손, 자아실현의 가능성 차단, 사회에 부정적 영향을 끼침

　　② 자살에 대한 각 사상의 입장

　　　　㉠ 유교 : 부모로부터 받은 자신의 신체를 훼손하는 행위로 불효로 봄

　　　　㉡ 불교 : 생명을 해쳐서는 안된다는 '불살생 (不殺生)'의 계율을 어기는 것으로 봄

　　　　㉢ 그리스도교 : 신으로부터 받은 목숨을 끊어서는 안 된다고 봄

　　　　㉣ 아퀴나스 : 자살은 자기 보존을 거스르는 부당한 행위

　　　　㉤ 칸트 : 자살은 자신의 인격을 한낱 수단으로 이용하는 것

　　　　㉥ 쇼펜하우어 : 자살은 문제를 해결하는 것이 아니라 회피하는 것

3) 안락사의 윤리적 쟁점

　　① 안락사의 의미 : 불치병으로 극심한 고통을 겪고 있는 환자 또는 그 가족의 요청에 따라 의료진이 인위적으로 죽음을 앞당기거나 생명 유지에 필요한 조치를 중단함으로써 생명을 단축하는 행위

　　② 안락사에 대한 찬반 입장

　　　　㉠ 찬성 입장

　　　　　·환자는 자율적 주체로 자신의 죽음을 선택할 수 있으며, 인간답게 죽을 권리를 지님

　　　　　·공리주의적 관점 : 무의미한 연명 치료는 환자 본인과 가족에게 심리적·경제적 부담을 주며, 제한된 의료 자원을 효율적으로 사용하지 않음으로써 사회 전체의 이익에 부합하지 않음

ⓛ 반대 입장
· 모든 인간의 생명은 존엄하며, 인간은 자신의 죽음을 인위적으로 선택할 권리를 갖고 있지 않음
· 자연법 윤리와 의무론의 관점 : 삶이 고통스럽다는 이유로 죽음을 인위적으로 앞당기는 행위는 자연의 질서에 부합하지 않으며, 인간 생명의 존엄성을 훼손하는 행위임

4) 뇌사의 윤리적 쟁점
① 뇌사의 의미 : 뇌 기능이 회복 불가능하게 정지된 상태
② 뇌사에 대한 찬반 논쟁
ㄱ 찬성 입장
· 죽음의 기준 : 뇌 기능 정지
· 뇌 기능이 정지하면 인간으로서 고유한 활동이 불가능함
· 뇌사자의 장기로 다른 생명을 구할 수 있음
· 뇌사자의 존엄하게 죽을 권리를 존중해야 함
ⓛ 반대 입장
· 죽음의 기준 : 심폐 기능의 정지
· 뇌 기능이 정지하더라도 생명을 유지할 수 있음
· 뇌사의 인정은 생명을 수단으로 여기는 것
· 뇌사 판정 과정에서 오류가 발생할 수 있음
· 실용주의 관점은 인간의 가치를 위협할 수 있음

02. 생명 윤리

(1) 생명 복제와 유전자 치료 문제
1) 생명 윤리와 생명의 존엄성
① 생명 윤리 : 생명을 책임 있게 다루기 위한 윤리학적 숙고
② 생명 존엄성에 관한 윤리적 관점
ㄱ 생명의 존엄성에 대한 동양의 관점
· 유교 : 부모로부터 물려받은 생명을 소중히 여김

· 불교 : 연기설을 통해 생명의 상호 의존성을 강조하고, 불살생의 계율로 생명의 보존을 주장함

· 도가 : 자연스러운 것을 인위적으로 조작하는 일은 바람직하지 않다고 봄

ⓒ 생명의 존엄성에 대한 서양의 관점

· 의무론 : 생명은 그 자체로 존엄하므로 생명을 함부로 조작하거나 훼손해서는 안된다고 봄

· 공리주의 : 생명을 대상으로 하는 과학 기술과 의료 행위가 개인과 사회에 행복과 이익을 가져다준다면 정당화될 수 있다고 봄

2) 생명 복제의 윤리적 쟁점

① 동물 복제

ㄱ 찬성 입장

· 동물 복제를 통해 우수한 품종을 개발할 수 있음

· 희귀 동물 보존이 가능함

· 멸종 동물 복원이 가능함

ⓒ 반대 입장

· 동물 복제는 자연의 질서에 어긋남

· 종의 다양성을 해침

· 동물의 생명을 인간의 유용성을 위한 도구로 사용함

② 인간 복제

ㄱ 배아 복제

– 찬성 입장

· 배아는 아직 완전한 인간이 아님

· 배아로부터 획득한 줄기세포를 활용해 난치병 치료 방법을 받을 수 있음

– 반대 입장

· 배아도 인간의 생명이므로 보호되어야 함

· 복제과정에서 난자 사용은 여성의 건강권과 인권을 훼손하는 것임

ⓒ 개체 복제

– 찬성 입장 : 난임 부부들에게 자녀 출산의 희망을 부여함

– 반대 입장 : 자연스러운 출산 과정에 어긋나며, 인간의 고유성, 개체성, 정체성을 상실하게 하고 가족 관계에 혼란을 초래함

3) 유전자 치료의 윤리적 쟁점

① 체세포 유전자 치료 : 환자의 질병 치료를 위해 허용되고 있음

② 생식 세포 유전자 치료의 윤리적 쟁점

  ㉠ 찬성 입장

    · 선천성 유전 질환의 치료 및 예방 가능

    · 병의 유전을 막아 다음 세대의 병을 예방 가능

    · 배아의 유전적 결함을 바로잡아 부모의 생식에 대한 권리와 자율성 보장

  ㉡ 반대 입장

    · 생식 세포의 변화를 통해 인간을 개선하려는 우생학에 대한 우려

    · 미래 세대의 동의 여부에 대한 불확실성

    · 임상 실험의 위험성과 과학적 불확실성으로 인한 부작용 발생 가능성

(2) 동물 실험과 동물 권리의 문제

1) 동물 실험의 윤리적 쟁점

① 찬성 입장

  ㉠ 인간은 동물과 근본적으로 다른 존재 지위를 가지고 있음

  ㉡ 인간과 동물은 생물학적으로 유사하므로 동물 실험의 결과를 인간에게 적용할 수 있음

② 반대 입장

  ㉠ 인간과 동물의 존재 지위는 차이가 없음

  ㉡ 인간과 동물은 생물학적으로 유사하지 않음 → 동물 실험의 결과를 그대로 인간에게 적용하는 데 한계가 있음

2) 동물 권리에 대한 다양한 관점

① 인간 중심주의 : 동물이 도덕적으로 고려받을 권리를 부정함

  ㉠ 데카르트 : 동물은 자동인형 또는 움직이는 기계에 불과함

  ㉡ 아퀴나스 : 인간이 동물에게 동정 어린 감정을 나타낸다면, 그는 그만큼 더 동료 인간들에게 관심을 가질 것임

  ㉢ 칸트 : 동물에 대한 의무는 인간에 대한 간접적 의무에 불과함

② 동물 중심주의 : 동물이 도덕적으로 고려 받을 권리를 인정함

  ㉠ 벤담 : 동물도 고통을 느끼므로 도덕적으로 고려 받을 권리를 지닌다고 봄

ⓒ 싱어 : 동물도 쾌고 감수 능력을 갖고 있으므로 동물의 이익도 평등하게 고려
되어야 함

ⓒ 레건 : 한 살 정도의 포유류는 자신의 삶을 영위할 수 있는 능력, 즉 믿음, 욕
구, 지각, 기억, 감정 등을 가진 삶의 주체가 될 수 있으므로 인간처럼 내재적
가치를 지님

03. 사랑과 성 윤리

(1) 사랑과 성의 관계

1) 사랑과 성의 의미와 가치

① 사랑의 의미

㉠ 인간이 근원으로, 어떤 사람이나 존재를 아끼고 소중히 여기는 마음

㉡ 프롬이 제시한 사랑의 요소 : 책임, 이해, 존경, 보호

② 성의 가치

㉠ 생식적 가치 : 새로운 생명의 탄생을 통한 종족의 보존

㉡ 쾌락적 가치 : 인간의 감각적인 욕망의 충족 → 절제 필요

㉢ 인격적 가치 : 상호 간의 존중과 배려를 실천하고, 자아실현과 인격 완성에 기여

③ 사랑과 성의 관계

㉠ 보수주의 : 결혼을 통해 이루어지는 성적 관계만이 정당함

㉡ 중도주의 : 사랑이 있는 성적 관계는 옳고 사랑이 없는 성은 도덕적으로 그름

㉢ 자유주의 : 타인에게 해악을 주지 않는 범위 내에서 자발적 동의에 따른 성적
자유를 허용해야 함

2) 성과 관련된 윤리적 문제

① 성의 자기 결정권

㉠ 성의 자기 결정권 : 인간이 자신의 성적 행동을 스스로 결정할 수 있는 권리

㉡ 성의 자기 결정권 남용에 따른 문제점 : 타인의 성적 자기 결정권 침해, 무고
한 생명의 훼손

㉢ 성의 자기 결정권의 올바른 행사 : 반드시 타인의 권리를 침해하지 않는 범위
로 제한되어야 하며, 자신의 결정에 대한 책임이 따라야 함

② 성 상품화

　　㉠ 의미 : 인간의 성을 직·간접적으로 이용해 이윤을 추구하는 것

　　㉡ 성 상품화에 대한 찬반 입장

　　　– 찬성 입장

　　　　· 성의 자기 결정권과 표현의 자유를 강조함

　　　　· 성 상품화가 이윤 극대화를 추구하는 자본주의 경제 논리에 부합할 수 있음

　　　– 반대 입장

　　　　· 성 상품화가 인격적 가치를 지니는 성을 상품으로 대상화하여 성의 가치와 의미를 훼손함

　　　　· 성 상품화는 외모 지상주의를 조장함

③ 성차별

　　㉠ 의미 : 여성 혹은 남성이라는 이유로 부당한 대우를 하는 것

　　㉡ 성차별의 문제점

　　　– 성차별은 인간의 기본 권리인 자유권과 평등권, 행복 추구권을 침해함

　　　– 남녀 각 개인의 잠재력을 충분히 발휘할 수 없도록 하여 인적 자원의 낭비를 초래함

(2) 결혼과 가족의 윤리

1) 결혼과 부부 윤리

① 결혼의 윤리적 의미

　　㉠ 부부가 서로에 대한 사랑을 지키겠다는 약속이자 신뢰임

　　㉡ 사랑을 바탕으로 삶 전체를 공동으로 영위하겠다는 약속임

② 부부 윤리

　　㉠ 남녀 간의 역할을 구분하면서 서로 존중해야 함

　　㉡ 서로의 차이를 고려하여 역할을 분담하며 양성평등의 자세를 가져야 함

　　㉢ 배려와 존중의 윤리를 실천해야 함

2) 가족의 가치와 가족 윤리

① 가족의 가치

　　㉠ 정서적 안정을 줌

　　㉡ 사회생활에서 필요한 규칙과 예절을 습득함

　　㉢ 건강한 사회의 토대가 됨

② 가족 해체 현상
　　㉠ 의미 : 현대 사회에서 가족 구성원 수의 감소와 구성원 간의 정서적 연결이 약
　　　해져서 가족이 제 기능을 발휘하지 못하는 현상
　　㉡ 영향
　　　－ 개인의 삶을 불안하게 만듦
　　　－ 사회의 근본적인 변화를 가져옴
　　　－ 가족 공동체 와해
③ 전통 사회의 가족 윤리
　　㉠ 부부 간 : 부부유별, 상경여빈, 부부상경 등
　　㉡ 부모 자식 간 : 효(孝), 자애(慈愛), 부자유친 등
　　㉢ 형제자매 간 : 형우제공(兄友弟恭), 우애(友愛) 등

1. 빈칸에 공통으로 들어갈 알맞은 말은?

> · 플라톤은 (　　　)은 육체로부터 벗어나 이데아(Idea)의 세계에 도달하는 과정이라고 표현했다.
>
> · 불교 사상은 (　　　)은 대표적인 고통 중 하나이며 현실의 세계로부터 벗어나 또 다른 세계로 윤회(輪回)하게 됨을 의미한다.

① 죽음　　　　　　　　　② 생명

③ 고통　　　　　　　　　④ 삶

2. 죽음의 특징으로 옳지 <u>않은</u> 것은?

① 보편성　　　　　　　　② 불가피성

③ 상대성　　　　　　　　④ 일회성

3. 다음과 같이 죽음의 의미를 설명한 사상가는?

> 　죽음은 사실 우리에게 아무것도 아니다. 우리가 살아 있는 한 죽음은 우리와 함께 있지 않는 것이며, 죽음이 왔을 때 이미 우리는 존재하지 않기 때문이다. 즉, 죽음은 의식이 소멸되어 고통이 없는 '무의식'의 상태이다.

① 하이데거　　　　　　　② 에피쿠로스

③ 슈바이처　　　　　　　④ 쇼펜하우어

4. 인공 임신 중절에 대해 찬성하는 입장의 주장을 〈보기〉에서 모두 고르면?

> ───〈보기〉───
>
> ㄱ. 난자가 수정되는 순간부터 인간의 생명이 시작된다.
>
> ㄴ. 임신부는 자기 신체에 대한 권리와 자기 결정권이 있다.
>
> ㄷ. 아직 태어나지 않은 태아는 임신부의 신체 중 일부이다.
>
> ㄹ. 태아도 인간으로서의 존엄성과 기본적인 생명권을 가지고 있다.

① ㄱ, ㄴ　　　　　　　　② ㄱ, ㄷ

③ ㄴ, ㄷ　　　　　　　　④ ㄴ, ㄹ

5. 안락사에 대한 찬성 근거로 옳은 것은?

① 오진 가능성이 있다.
② 사람은 존엄하게 죽을 권리가 있다.
③ 인간 생명의 존엄성이 훼손될 수 있다.
④ 인간 생명 경시 풍조가 만연될 수 있다.

6. 다음 내용에서 공통적으로 비판하는 문제는?

· 인간의 생명을 수단으로 여기게 된다.
· 판정의 오류 가능성이 있다.
· 인간의 가치를 위협하고, 사회적으로 악용될 수 있다.

① 자살   ② 안락사
③ 인공 임신 중절   ④ 뇌사

7. 뉘른베르크 강령에서 강조하는 인체실험의 원칙을 〈보기〉에서 모두 고르면?

── 〈보기〉 ──

ㄱ. 실험 대상자에게 적절한 경제적 보상을 해야 한다.
ㄴ. 실험의 절차보다 결과를 더 중시해야 한다.
ㄷ. 인체실험은 전문가 집단의 동의만으로도 시행할 수 있다.
ㄹ. 실험 대상자에게 실험에 대한 충분한 정보를 제공해야 한다.

① ㄱ, ㄴ   ② ㄱ, ㄹ
③ ㄴ, ㄷ   ④ ㄴ, ㄹ

8. 인간 개체 복제의 문제점이 아닌 것은?

① 인간이 지닌 고유성을 상실하게 만든다.
② 전통 가정을 토대로 하는 사회의 기본 구조를 붕괴시킨다.
③ 배아를 인간 생명이 아닌 단순한 치료 수단으로만 이용한다.
④ 인간을 대체 가능한 존재로 여기게 만들어 인간의 존엄성을 훼손한다.

9. 다음 중 동물 실험을 반대하는 입장이 <u>아닌</u> 것은?

   ① 자연의 질서에 어긋난다.
   ② 생태계를 교란시킬 수 있다.
   ③ 동물의 생명을 인간의 유용성을 위한 도구로 사용된다.
   ④ 우수한 품종 개발이 가능하다.

10. 다음 글의 빈칸 ㉠, ㉡, ㉢에 들어갈 말을 바르게 연결한 것은?

(㉠) : 새로운 생명을 탄생시켜 종족 보존의 기능을 수행함
(㉡) : 쾌락을 동반하며 애정적 유대감을 높임
(㉢) : 인간만이 가지는 성의 가치로 사랑하는 사람과 신체적, 정서적, 정신적으로 상대방과 하나가 됨

	㉠	㉡	㉢
①	인격적 가치	쾌락적 가치	생식적 가치
②	쾌락적 가치	인격적 가치	생식적 가치
③	생식적 가치	쾌락적 가치	인격적 가치
④	인격적 가치	생식적 가치	쾌락적 가치

11. 프롬의 주장으로 적절하지 <u>않은</u> 것은?

    ① 사랑은 상대방을 올바로 이해하는 것이다.
    ② 사랑은 상대방을 있는 그대로 보고 존중하는 것이다.
    ③ 사랑은 상대방의 요구를 배려하면서 자신의 행동에 책임을 지는 것이다.
    ④ 사랑은 상대방의 모든 것을 받아들이고 소유하는 것이다.

12. 다음 중 사랑과 성의 관계에 대한 입장이다. 어떤 입장인지 고르면?

· 결혼과 출산 중심의 성 윤리를 제시한다.
· 성은 부부 간의 신뢰와 사랑을 전제로 할 때만 도덕적이다.

    ① 보수주의   ② 중도주의
    ③ 자유주의   ④ 절대주의

13. 다음 중 성적 자기 결정권에 대한 설명으로 옳지 <u>않은</u> 것은?

① 자신이 원하지 않는 성적 행동에 저항할 수 있는 능력을 의미한다.
② 상대가 원하지 않는 성적 행동을 강요하지 않는 것을 의미한다.
③ 자신이 주도적인 성적 결정권을 행사한다.
④ 자신의 판단과 행동에 대해 책임을 져야 한다.

14. 성차별에 대한 설명으로 옳지 <u>않은</u> 것은?

① 사회 발전과 통합을 저해할 수 있다.
② 개인의 자아실현 기회를 박탈할 수 있다.
③ 남녀 간의 차이를 인정하고 서로 배려하는 것이다.
④ 직업 선택이나 승진 등에서 남녀 차별 대우를 가져올 수 있다.

15. 다음 〈보기〉는 어떤 사회 현상의 문제점인가?

─── 〈보기〉 ───

· 성의 본질적 가치가 훼손된다.
· 외모 지상주의가 조장된다.

① 성 상품화   ② 성의 자기 결정권
③ 성차별   ④ 양성 평등

16. 유교의 부부 관계에서 지켜야 할 규범으로 적절한 것을 〈보기〉에서 모두 고르면?

─── 〈보기〉 ───

ㄱ. 신체적 · 정신적으로 보살피고 배려해야 한다.
ㄴ. 신뢰를 바탕으로 서로에 대한 정조를 지켜야 한다.
ㄷ. 경쟁과 협력을 하며 장유유서의 도리를 지켜야 한다.
ㄹ. 몸을 훼손하지 않는 것이 시작이며, 몸을 세워 이름을 떨친다.

① ㄱ, ㄴ   ② ㄱ, ㄷ
③ ㄴ, ㄷ   ④ ㄴ, ㄹ

17. ㉠에 들어갈 말은?

> 부모는 자식이 위험에 처하면 자신의 생명을 돌보지 않고 자식을 구하려고 한다. 이처럼 자녀에 대하여 헌신으로 쏟는 부모의 사랑을 일컬어 (㉠)(이)라고 한다.

① 우정(友情) ② 자애(慈愛)
③ 충성(忠誠) ④ 효도(孝道)

18. 효의 실천 방법에 대한 설명으로 옳지 <u>않은</u> 것은?

① 불감훼상이란 부모로부터 물려받은 몸을 온전히 보전하는 것을 말한다.
② 양지란 부모의 뜻을 헤아려 실천함으로써 부모를 기쁘게 해드리는 것을 말한다.
③ 봉양이란 부모를 정신적 측면에서 잘 모시는 것을 말한다.
④ 입신양명이란 후세에 자신의 이름을 떨쳐 부모를 영광되게 하는 것을 말한다.

19. 〈보기〉에서 설명하는 인간 관계는?

> ──────〈보기〉──────
> · 본래 같은 기운을 받고 태어나 마음대로 끊을 수 없다.
> · 수평적이면서도 수직적인 관계의 성격을 지닌다.

① 부자 관계 ② 부부 관계
③ 친구 관계 ④ 형제 관계

20. 오륜(五倫)에서 어른 공경과 관련된 것은?

① 부자유친(父子有親)
② 부부유별(夫婦有別)
③ 붕우유신(朋友有信)
④ 장유유서(長幼有序)

03. 사회와 윤리

01. 직업과 청렴의 윤리

(1) 직업 생활과 행복한 삶

1) 직업의 의미와 기능

① 직업의 의미 : 사회적 지위와 역할인 '직(職)'과 생계유지를 위한 일인 '업(業)'의 합성어 → 자신의 적성과 능력에 따라 일정한 기간 계속하여 종사하는 일

② 직업의 기능 : 생계유지, 자아실현, 사회 참여

2) 직업에 대한 다양한 관점

① 동양의 직업관

  ㉠ 공자 : 자신의 직분에 충실하는 정명(正名)을 강조함

  ㉡ 맹자 : 도덕적 삶(항심(恒心))을 지속하기 위해 경제적 안정을 위한 일정한 생업(항산(恒産))이 필요함

  ㉢ 순자 : 예(禮)의 제도와 규범으로 적성과 능력에 따라 사회적 신분과 직분을 분담하여 역할을 수행하도록 함

  ㉣ 장인 정신 : 자기 일에 긍지를 가지고 전념하거나 한 가지 기술에 정통하려고 노력하는 것

② 서양의 직업관

  ㉠ 플라톤 : 각 계층에 속한 사람들이 고유한 덕(德)을 발휘하여 자신의 직분에 충실하면 정의로운 국가를 이룩하게 됨

  ㉡ 중세 그리스도교 : 노동은 원죄에 대한 속죄의 의미를 가지며 신이 부과한 것임

  ㉢ 칼뱅 : 직업은 신의 거룩한 부르심, 즉 소명(召命)이며 직업의 성공을 위해 근면, 성실, 검소한 생활이 필요함

  ㉣ 마르크스 : 노동의 본질은 물질적 가치를 창출하는 것이라고 보고, 노동자가 노동의 생산물에서 소외되는 자본주의 경제체제를 비판함

(2) 직업 윤리와 청렴

1) 직업 윤리의 의미와 필요성

① 직업 윤리의 의미 : 직업 생활에서 지켜야 할 윤리 규범

② 직업 윤리의 내용 : 정직, 성실, 신의, 책임, 의무

③ 직업 윤리의 필요성 : 부정부패와 비리를 막고 개인의 자아실현과 공동체 발전에 기여

2) 다양한 직업 윤리

① 기업가와 근로자 윤리

    ㉠ **기업가 윤리** : 합법적인 이윤 추구, 근로자의 권리 존중, 소비자에 대한 책임 부담, 사회적 책임 이행

    ㉡ **근로자 윤리** : 자신의 책임과 역할 수행, 전문성 향상, 잠재력 발휘, 동료 근로자와 연대 의식 형성, 기업가와의 협력 추구

② 전문직과 공직자의 윤리

    ㉠ **전문직 윤리**

        – 전문직은 고도의 교육과 훈련을 통해 사회적으로 승인된 자격을 취득한 사람들임

        – 전문직은 전문 지식과 기술을 독점적 · 자율적으로 수행할 수 있음

        – 직업적 양심과 책임 의식, 노블레스 오블리주 실천

    ㉡ **공직자 윤리**

        – 법적 구속력을 갖는 의사 결정이 가능함

        – 청렴, 봉공, 봉사의 자세가 필요함

3) 직업 생활에서의 청렴한 자세의 중요성

① 부패

    ㉠ **부패** : 개인의 이익을 위해 자신의 직위를 이용하는 위법 행위

    ㉡ **부패의 문제점** : 시민 의식 발달과 사회 발전을 저해하고 국가 신인도 하락을 초래할 수 있음

② 청렴

    ㉠ **청렴** : 뜻과 행동이 맑고 염치를 알아 탐욕을 부리지 않는 상태

    ㉡ **청렴의 필요성** : 부패를 방지 · 근절하고 도덕적 인격을 형성해 자아실현과 공동체 발전에 기여

    ㉢ **청렴을 위한 노력** : 부당한 이익을 취하지 않고 양심과 사회 정의에 부합되게 행동하고, 제도적 노력도 필요함

02. 사회 정의와 윤리

(1) 사회 정의의 의미

1) 개인 윤리와 사회 윤리

① 개인 윤리와 사회 윤리

	개인 윤리적 관점	사회 윤리적 관점
의미	개인의 도덕성 회복을 통한 윤리 문제 해결	사회의 구조와 제도의 개선을 통한 윤리 문제 해결
내용	도덕적 판단 능력, 실천 의지, 도덕적 습관 등의 함양	법과 제도의 개선, 공공 정책의 변화, 정치적 강제력
이상	도덕성과 이타성의 실현	공동선과 사회 정의 실현

② 니부어
    ㉠ 사회의 도덕성이 개인의 도덕성보다 현저히 떨어짐
    ㉡ 집단에 속한 개인은 이기적으로 행동하기 쉬움
    ㉢ 문제 해결 : 개인의 도덕성 함양 + 사회 제도와 정책의 개선

2) 사회 정의

① 사회 정의의 의미 : 사회 구성원에게 합당한 몫을 부여하고 그 몫에 대한 권리와 책임을 정당하게 규정하는 것
② 사회 정의의 분류
    ㉠ 분배적 정의 : 사회적 재화의 이익과 부담에 대한 공정한 분배
    ㉡ 교정적 정의 : 위법과 불공정에 대한 공정한 처벌과 배상
    ㉢ 절차적 정의 : 합당한 몫을 결정하는 공정한 절차
③ 분배적 정의의 기준

분배 기준	장점	단점
절대적 평등	기회, 혜택의 균등한 분배	생산 의욕과 책임 의식 저하
필요	약자 보호, 사회 안정성 향상	재화 불충분, 효율성 저하
능력	탁월성과 실력에 대한 합당한 보상	우연성, 선천적 영향 배제 어려움
업적	생산성 향상, 객관적 평가의 용이함	약자 배려 약화, 과열 경쟁
노동(노력)	책임 의식 향상	객관적 기준 마련이 어려움

(2) 분배적 정의와 윤리적 쟁점

1) 현대 사회의 다양한 정의관

① 롤스 : 공정으로서의 정의

ⓐ 원초적 입장 : 분배 절차의 공정한 합의를 위해서 무지의 베일을 쓴 타인과 자신의 자연적·사회적 조건에서 벗어난 가상적 상황

ⓑ 정의의 원칙

제 1의 원칙	평등한 자유의 원칙	모든 사람은 기본적 자유에 대하여 동등한 권리를 가져야 한다.
제 2의 원칙	차등의 원칙	최소 수혜자에게 최대 이익이 되어야 한다.
	공정한 기회 균등의 원칙	모든 사람에게 직책과 직위가 개방되어야 한다.

② 노직 : 소유권으로서의 정의

ⓐ 개인의 소유권 : 개인의 정당한 소유물에 대한 배타적·절대적 권리

ⓑ 개인의 소유권을 침해하지 않고, 개인의 권리를 보호하는 역할만을 수행하는 최소 국가를 정당하다고 주장함

ⓒ 정의의 원칙

· 취득의 원칙 : 정의의 원리에 따라 소유물을 취득한 자는 그 소유물에 대한 소유 권리를 지닌다.

· 이전의 원칙 : 소유물의 소유 권리를 가진 사람에게 정의의 원리에 따라 그 소유물을 취득한 자는 그 소유물에 대한 소유 권리가 있다.

· 교정의 원칙 : 취득의 원칙, 이전의 원칙을 따르지 않은 부당한 취득은 교정되어야 한다.

③ 왈처 : 복합 평등의 다원적 정의

ⓐ 다양한 삶의 영역에서 각기 다른 정의의 기준에 따라 사회적 가치가 분배되어야 함

ⓑ 정의의 원칙 : 어떠한 사회적 가치 x도 x의 의미와는 상관없는 단지 누군가 다른 가치 y를 가지고 있다는 이유만으로 y를 소유한 사람에게 분배되어서는 안 된다.

2) 우대 정책의 윤리적 쟁점

① 우대 정책의 의미 : 특정 집단에 대한 역사적, 사회 구조적 부당한 차별과 불평등을 바로잡기 위해 분배적 혜택을 주는 보상과 우대하는 정책

② 우대 정책의 논쟁

우대 정책의 찬성 논거	우대 정책의 반대 논거
· 보상의 논리 : 과거의 차별 때문에 받아 온 고통에 대해 보상받을 권리가 있음 · 재분배의 논리 : 사회적 약자에게 경제적 부나 사회적 지위를 얻을 수 있는 유리한 기회를 부여해야 할 필요가 있음 · 공리주의 논리 : 사회적 약자를 배려하면 사회적 긴장을 완화하고 사회 전체의 평화와 행복을 증진시킬 수 있음	· 보상 책임의 부당성 논리 : 과거의 차별에 대해 잘못이 없는 후손에게 보상의 책임을 지우는 것은 부당함 · 역차별의 논리 : 사회적 약자에 대한 특혜는 일반 사람의 기회를 박탈하여 또 다른 차별을 낳을 수 있음 · 업적주의 원칙 위배 논리 : 우대 정책에 따라 노력이나 성취를 무시하는 것은 공정하지 못함

(3) 교정적 정의와 윤리적 쟁점

1) 교정적 정의의 의미와 관점

① 교정적 정의 : 부당한 피해 행위에 대한 불균형과 부정의를 바로 잡는 것

② 처벌에 대한 교정적 정의의 관점들

응보주의	공리주의
· 처벌의 고통은 범죄 행위에 대한 응당한 보복과 정당한 대가 · 처벌은 위법에 대해서만 부과되며, 처벌을 통해 정의 실현 · 범죄 행위에 상응하는 동등한 형벌 부과 · 범죄에 대한 개인의 책임 강조	· 처벌의 고통은 필요악이지만 사회 전체 행복의 증진을 위한 조치 · 처벌은 범죄 예방과 사회 안전을 위한 효과적 수단 · 위법의 이익보다 형벌의 손실이 더 큰 정도의 형벌 부과 · 처벌의 사회적 효과 강조

2) 사형 제도의 윤리적 쟁점

① 사형의 의미 : 범죄자의 생명을 인위적으로 박탈하는 법정 최고형

② 사형에 대한 관점

    ㉠ **칸트** : 응보주의적 관점에서 살인자에 대한 사형은 정당하며 사형 이외의 형벌은 정의에 부합하지 않음

    ㉡ **루소** : 사회 계약설의 관점에서 계약자는 자신의 생명 보존을 위해서 살인자의 사형에 동의하였음

ⓒ 베카리아 : 생명은 양도할 수 없는 것이기 때문에 사형은 불가하며, 공리주의
적 관점에서 사형보다 종신 노역형이 범죄 예방과 사회 전체 이익 증진에 부
합하므로 사형 제도는 폐지되어야 함

③ 사형 제도의 윤리적 쟁점

찬성 입장	반대 입장
·범죄 억제 효과가 매우 큼 ·처벌의 목적은 인과응보적 응징 ·국민의 일반적 법 감정은 사형 제도를 지지함 ·흉악 범죄인의 생명을 박탈하는 것이 사회적 정의임 ·종신 노역형은 비용 부담이 크고 오히려 비인간적일 수 있음	·범죄 억제 효과가 없음 ·처벌의 목적은 교육과 교화 ·인도적 차원에서 잔혹한 형벌인 사형 제도 폐지 ·정치적 악용 가능성 ·오심으로 사형의 원상복구 불가능성

03. 국가와 시민 윤리

(1) 국가의 권위와 시민에 대한 의무

1) 국가 권위의 정당성 조건

① 국가 권위의 의미 : 시민들이 국가의 뜻을 따르게 하는 힘

② 국가 권위의 정당성에 대한 관점

ⓐ **아리스토텔레스(본성론)** : 인간은 본성적으로 정치적 존재이며, 정치 공동체 속
에서만 최선의 삶이 가능

ⓑ **사회 계약설(동의론)** : 국가는 시민의 동의와 계약으로 구성

ⓒ **흄(혜택론)** : 국가가 시민에게 여러 가지 혜택을 제공하므로 국가에 복종해야 함

ⓓ **공리주의** : 국가의 법을 지키는 것이 '최대 다수의 최대 행복'을 증진하는 방편
이기 때문

2) 동 · 서양 사상에 나타난 국가의 역할

① 동양

㉠ 공자, 맹자(유교)
· 위민, 민본주의 강조
· 군주는 인격 수양으로 덕을 쌓아 백성을 교화해야 함

㉡ 묵자 : 무차별적 사랑(兼愛)과 상호 이익이라는 하늘의 뜻을 따라야 함

㉢ 한비자 : 엄격한 법에 따라 상벌을 적절하게 제공하여 사회 질서 유지

㉣ 정약용 : 지방 관리들은 애민(愛民)을 실현해야 함. 특히 노인, 어린이를 돌보고 빈민을 구제하는 데 힘써야 함

② 서양

㉠ 홉스
· 자연 상태 : 만인의 만인에 대한 투쟁 상태
· 인간은 생명과 재산을 보장받기 위해 계약을 맺어 정치권력에게 권리를 양도하고 국가를 수립함

㉡ 로크 : 국가는 분쟁을 해결하고 개인의 생명, 자유, 재산을 보호하며 평화롭고 안전하고 행복한 삶을 살게 해야 함

㉢ 루소 : 국가는 사유 재산이 증가하면서 발생한 사회적 불평등을 해결하고 시민의 생명을 보존하고 번영하도록 해야 함

㉣ 밀 : 국가는 시민이 타인에게 해악을 끼칠 경우를 제외하고는 시민의 자유와 기본권을 보장해야 함

㉤ 롤스 : 국가는 개인의 평등한 자유를 보장하고, 사회의 가장 불리한 위치에 있는 사람에게 최대 이익이 돌아가게 하며, 사회에서 누구나 높은 지위에 오를 수 있는 기회를 평등하게 부여하는 질서 정연한 정의 사회를 실현해야 함

(2) 민주 시민의 참여와 시민 불복종

1) 민주 시민의 권리와 의무

① 민주 시민의 권리와 의무

㉠ 민주 시민 : 국가와 사회의 주권자

㉡ 민주 시민은 국가의 정당한 권리를 존중하고, 권리와 의무를 실천해야 함

② 동 · 서양 사상

  ㉠ 동양의 유교

    · 부모에게 효도하는 것과 같이 백성이 국가에 충성하는 것을 의무로 간주함

    · 맹자 : 군주는 민본주의를 바탕으로 왕도 정치를 실천해야 하며, 백성은 군주
      가 백성을 위한 정치를 하지 않는다면 역성혁명(易姓革命)을 일으킬 수 있음

  ㉡ 서양의 사회 계약론

    · 시민은 자연에 따른 권리의 주체로서 자유를 정당하게 행사할 권리가 있음

    · 자신과 동등한 타인의 자유와 권리를 침해하지 않으면서 정치 공동체의 구
      성원으로서 공동선을 지향해야 할 의무가 있음

    · 시민은 사회 계약을 위반한 정부에 저항할 권리가 있음

2) 시민 참여의 의미와 필요성

① 시민 참여 : 정부의 정책 결정 과정에 영향을 미치는 것을 목적으로 한 시민 활동

② 시민 참여의 필요성 : 대의 민주주의의 한계를 보완할 수 있으며, '시민에 의한
  통치'라는 민주주의의 이념을 실현할 수 있음

③ 시민 참여의 방법 : 공청회, 자문회, 주민 투표제, 주민 소환제, 주민 감사 청구
  제, 국민 참여 재판 등

3) 시민 불복종

① 시민 불복종의 의미 : 부정의한 법과 정책에 대한 시민들의 의도적 위법 행위

② 시민 불복종의 근거

  ㉠ 드워킨 : 헌법 정신에 어긋나는 법률에 대해서 시민은 저항할 수 있음

  ㉡ 소로 : 헌법을 넘어선 개인의 양심이 저항의 최종 판단 근거임

  ㉢ 롤스 : 공공의 정의관이 저항의 기준이 되어야 함

③ 시민 불복종의 정당화 조건 : 공개성, 비폭력성, 최후의 수단, 정의 실현, 처벌 감수

1. 다음과 같은 직업관을 가진 동양의 사상가는?

> "백성이 일정한 생산 소득이 없으면 바른 마음을 유지할 수 없다."

① 노자   ② 장자

③ 순자   ④ 맹자

2. 다음 공자가 주장하는 직업 윤리는?

> 임금은 임금답고, 신하는 신하답고, 아버지는 아버지답고, 아들은 아들다워야 한다.(君君 臣臣 父父 子子)

① 정명 정신   ② 소명 의식

③ 연기론   ④ 장인 정신

3. 다음 〈보기〉에서 설명하는 직업관을 주장한 서양의 사상가는?

> ─────〈보기〉─────
>
> 직업은 신의 거룩한 부르심, 즉 소명(召命)이며, 직업의 성공을 위해서 근면, 성실, 검소한 직업 생활이 필요하다.

① 플라톤   ② 칼뱅

③ 마르크스   ④ 칸트

4. 기업이 지녀야 할 사회적 책임에 해당하지 <u>않는</u> 것은?

① 기업의 불공정한 이윤 추구

② 투명한 회계와 성실한 세금 납부

③ 기업의 사회 공헌과 자선 활동 참여

④ 환경 오염 개선과 근로자의 복지 향상

5. 다음 설명과 관계 깊은 공직자의 자세는?

> 탐욕을 억제하여 올바르지 못한 물질적 이득에 휘둘리지 않는 마음

① 경로　　　　　　　　　② 믿음
③ 청렴　　　　　　　　　④ 방종

6. 다음 〈보기〉에서 설명하는 것은?

───〈보기〉───
　　사회적 고위층이나 고위 공직자에게 요구되는 높은 수준의 도덕적 의무이다. 초기 로마의 왕과 귀족이 평민보다 앞장서서 솔선수범한 데서 유래한 말이다.

① 톨레랑스　　　　　　　② 소명 의식
③ 정명 정신　　　　　　　④ 노블레스 오블리주

7. 다음 중 니부어(Niebuhr, R.)의 관점에 대한 설명으로 바르게 선택한 학생은?

	갑	을	병	정
사회 집단의 도덕성은 개인의 도덕성보다 높다.	V			V
개인의 선한 의지만으로도 사회 문제를 해결할 수 있다.	V		V	
사회적 도덕 문제는 사회 정책과 제도의 개선이 필요하다.		V		V
정당한 강제력으로 집단 이기주의를 통제해야 한다.		V	V	

① 갑　　　　　　　　　　② 을
③ 병　　　　　　　　　　④ 정

8. 다음 〈보기〉에서 설명하는 분배의 기준은?

───〈보기〉───
　　혼자 사는 사람보다 부양 가족이 있는 사람에게 돈이 더 필요하므로 후자에게 가족 수당으로서 더 많은 임금을 지급한다.

① 절대적 평등　　　　　　② 업적
③ 필요　　　　　　　　　④ 노동 시간

9. 다음 〈보기〉의 내용을 주장한 사상가는?

〈보기〉

　올바른 재화의 분배는 개인의 자유에 전적으로 위임해야 하며, 국가는 재화나 거래자의 안전 보장, 부정한 계약에 대한 감시 등과 같은 최소한의 임무만을 수행해야 한다고 주장했다.

① 노직　　　　　　　　② 싱어
③ 마르크스　　　　　　④ 아리스토텔레스

10. 다음 중 롤스의 정의론에 대한 설명으로 옳지 <u>않은</u> 것은?

① 정의로운 사회에서도 경제적 불평등이 존재할 수 있다.
② 정당한 절차와 원칙을 통해 이루어진 분배는 그 결과도 정의롭다.
③ 사회적 약자를 배려하기 위해 국가의 재분배를 인정한다.
④ 능력에 따라 일하고 필요에 따라 분배해야 한다.

11. 롤스(Rawls, J.)가 제시한 정의의 원칙 중, 다음과 관련이 깊은 것은?

〈보기〉

· 지하철의 노약자석
· 장애인 전용 주차 구역

① 차등의 원칙
② 경쟁의 원칙
③ 기회 균등의 원칙
④ 평등한 자유의 원칙

12. 다음 중 우대 정책 찬성 입장으로 적절한 논거는?

① 과거의 잘못이 없는 후손에게 보상의 책임을 지우는 것이다.
② 열심히 노력한 사람들에게 정당한 보상을 주는 업적주의에 위배된다.
③ 사회적 약자의 처지 개선에 큰 도움을 준다.
④ 또 다른 차별을 불러와 사회 통합을 저해할 수 있다.

13. 다음 중 사형 제도에 대해 다른 입장을 지닌 사상가는?

① 칸트
② 루소
③ 벤담
④ 베카리아

14. 사형 제도를 반대하는 주장으로 적절하지 <u>않은</u> 것은?

① 오판의 가능성이 있고 복구 불가능하다.
② 범죄자의 교화와 교육의 가능성을 박탈한다.
③ 정적 제거를 위해서 정치적으로 악용될 수 있다.
④ 사회 방위를 위해 흉악범의 완전 격리가 필요하다.

15. 다음 내용과 관련이 깊은 사상가는?

> 지혜의 덕을 지닌 통치자 계급, 용기의 덕을 지닌 수호자 계급, 절제의 덕을 지닌 생산자 계급이 각각 자신의 본분을 잘 발휘하여 조화를 이룰 때 정의로운 국가가 실현된다.

① 이황   ② 원효
③ 플라톤   ④ 앨빈 토플러

16. 다음 〈보기〉에서 설명하는 국가 권위에 대한 관점을 주장한 서양 사상가는?

─── 〈보기〉 ───

> 인간은 본성적으로 정치적 존재이며, 정치 공동체 속에서만 최선의 삶이 가능하다.

① 아리스토텔레스   ② 소크라테스
③ 홉스   ④ 벤담

17. 동양 사상에 나타난 국가의 역할로 옳은 것은?

① 공자 : 시민들의 자발적 합의로 위임된 국가의 권위에 따라야 한다.
② 한비자 : 무차별적 사랑과 상호 이익이 하늘의 뜻이라고 보았다.
③ 묵자 : 엄격한 법에 따라 상벌을 적절하게 제공해야 한다.
④ 맹자 : 생업이 보장되어야 백성들이 도덕적 삶을 영위할 수 있다.

18. 다음 〈보기〉의 국가 기원론을 주장한 사상가는?

―――――〈보기〉―――――

인간은 이기적이기 때문에 자연 상태는 '만인의 만인에 대한 투쟁'과 같다. 따라서 생명과 안전을 확보하기 위해서는 계약을 통해 자신의 권리를 국가에 양도해야 한다.

① 루소   ② 홉스
③ 로크   ④ 싱어

19. 다음 〈보기〉의 ㉠에 들어갈 말로 적절한 것은?

―――――〈보기〉―――――

(㉠)은/는 정의롭지 못한 법이나 정부 정책을 의도적으로 거부하는 시민 저항 운동이다.

① 자아실현   ② 시민 불복종
③ 기본권 제한   ④ 윤리 소비

20. 시민 불복종의 정당화 조건에 대한 설명으로 옳지 <u>않은</u> 것은?

① 비폭력적이어야 한다.
② 최후의 수단이어야 한다.
③ 처벌의 회피가 가능하다.
④ 행위목적이 정당해야 한다.

04

04. 과학과 윤리

04 과학과 윤리

01. 과학 기술과 윤리

(1) 과학 기술의 성과와 윤리적 문제

1) 과학 기술의 성과와 윤리적 문제

① 과학 기술의 성과 : 물질적 풍요와 편리한 삶, 시·공간적 제약 극복, 건강 증진과 생명 연장 등

② 과학 기술의 윤리적 문제 : 환경 문제 발생, 생명의 존엄성 훼손, 인권과 사생활 침해 등

2) 과학 기술을 바라보는 관점

① 과학 기술 지상주의 : 과학 기술의 긍정적인 측면만 강조 → 과학 기술의 부정적 측면 간과, 인간의 반성적 사고 능력 훼손

② 과학 기술 혐오주의 : 과학 기술의 부정적인 측면만 강조 → 과학 기술의 성과와 혜택을 인정하지 않음

(2) 과학 기술의 가치중립성 논쟁

1) 과학 기술의 가치중립성에 대한 입장

① 과학 기술의 가치중립성 인정

　㉠ 과학 기술 그 자체로 좋은 것도 나쁜 것도 아님 → 사회적 책임과 윤리적 평가로부터 자유로움

　㉡ 과학 기술은 객관적 지식의 발견과 활용만을 목적으로 함

　㉢ 과학 기술 결과에 대한 책임은 실제로 과학 기술을 활용한 사람들의 몫임

② 과학 기술의 가치중립성 부정

　㉠ 과학 기술에는 일정한 목적이나 의도가 개입되어 있음 → 과학 기술은 가치 판단에서 자유로울 수 없음

　㉡ 과학 기술은 그 자체 윤리적 가치에 의해 지도·규제받아야 함

　㉢ 과학 기술의 연구 및 활용의 전 과정을 독립적인 영역으로 여겨서는 안 됨

③ 과학 기술에 대한 올바른 태도 : 과학 기술의 궁극적 목적은 인간의 존엄성 구현과 삶의 질 향상임을 염두에 두어야 함

2) 과학 기술의 사회적 책임

① 과학 기술자의 책임

㉠ 내적 책임 : 과학 기술자는 연구 과정에서 날조, 변조, 표절, 부당한 저자 표기 등 비윤리적인 행위를 하지 말아야 함

㉡ 외적 책임 : 과학 기술자는 사회적으로 해로운 결과가 예상되는 연구의 경우 그 위험성을 알리고 연구를 중단해야 함

② 사회적 책임을 위한 노력

㉠ 개인적 차원의 노력 : 과학 기술이 인간의 존엄성을 위해 공헌하고 있는지 관심을 가지며, 과학 기술의 사용 방향에 대한 선택과 결정에 적극 참여해야 함

㉡ 사회적 차원 : 기술 영향 평가 제도를 실시하고, 과학기술 윤리위원회를 설치하며, 과학 기술의 활용에 관한 시민들의 감시와 참여를 이끌어 내는 장치의 제도화가 필요함

③ 요나스의 책임 윤리

㉠ 책임 범위 확대 : 현 세대뿐만 아니라 미래 세대, 자연까지 확대함

㉡ 행해진 것에 대한 사후 책임뿐만 아니라 나아가 행위 되어야 할 것에 대한 사전적 책임을 강조함 → 미래 지향적인 책임을 주장함

02. 정보 사회와 윤리

(1) 정보 기술의 발달과 정보 사회

1) 정보 기술의 발전에 따른 삶의 변화와 윤리적 문제

① 정보 기술의 발전에 따른 삶의 변화 : 삶의 편리성 향상, 정치 참여 기회 확대, 다양성을 존중하는 사회 분위기 조성

② 정보 기술의 발전에 따른 윤리적 문제 : 사이버 폭력, 사생활 침해, 표현의 자유 문제, 저작권 문제 등

2) 정보 사회에서 요구되는 정보 윤리

① 정보 윤리의 필요성 : 일상생활 속에서 기존 윤리 이론만을 적용하여 해결하기 어려운 문제가 발생함

② 사이버 공간에서 지켜야 할 윤리 원칙 : 인간 존중의 원칙, 책임의 원칙, 정의의 원칙, 해악 금지의 원칙

(2) 정보 사회와 매체 윤리

1) 뉴미디어의 특징과 문제점
  ① 뉴미디어의 의미 : 기존의 매체들이 제공하던 정보를 인터넷을 통해 가공, 전달, 소비하는 포괄적 융합 매체를 뜻함
  ② 뉴미디어의 특징 : 종합화, 상호 작용화, 비동시화, 탈 대중화, 능동화, 디지털화 등
  ③ 뉴미디어의 문제점
    ㉠ 전문성이 검증되지 않은 정보가 많음
    ㉡ 허위 정보나 음란·폭력·유해 정보를 전달하기도 함
    ㉢ 폭력적이고 자극적인 정보로 이윤을 추구하기도 함

2) 국민의 알 권리와 개인의 인격권의 관계
  ① 알 권리 : 국민은 사회적 현실에 관한 정보를 자유롭게 알 수 있는 권리
  ② 인격권 : 인간의 존엄성에 바탕을 둔 사적 권리
  ③ 국민의 알 권리와 인격권의 관계 : 정보를 전달할 때 국민의 알 권리를 보장하려고 노력하되, 그 정보가 개인의 인격권을 침해하는지 검토해 보아야 함

3) 매체의 기능과 매체 윤리
  ① 정보 사회에서의 매체 윤리
    ㉠ 매체의 기능 : 정보 제공, 정보의 의미에 대한 해석 및 평가, 가치와 규범의 전달, 휴식과 오락의 기회 제공
    ㉡ 매체 윤리
      · 정보 생산 및 유통 과정 : 진실한 태도, 개인의 인격 존중, 배려하는 자세
      · 정보 소비 과정 : 미디어 리터러시, 소통과 시민 의식, 정보의 비판적 수용

03. 자연과 윤리

(1) 인간과 자연의 관계에 대한 다양한 관점

1) 자연을 바라보는 동양의 관점
  ① 유교 : 만물은 본래적 가치를 지니고 인간과 자연이 조화를 이루는 천인합일(天人合一)의 경지 추구

② 불교 : 연기설(緣起說)에 근거하여 인간과 자연의 상호 의존성을 자각하여 모든 생명에게 자비를 베풀 것을 강조

③ 도가 : 천지 만물은 무위(無爲) 체계로 보고, 자연의 순리에 따라 사는 무위자연(無爲自然)을 추구함

2) 인간 중심주의

① 특징 : 인간만이 도덕적 지위를 지니며, 인간 외의 모든 존재는 인간의 목적을 이루기 위한 수단으로 여김

② 대표적 사상가

   ㉠ 아리스토텔레스 : "식물은 동물의 생존을 위해서, 동물은 인간의 생존을 위해서 존재한다."

   ㉡ 아퀴나스 : "신의 섭리에 따라 동물은 자연의 과정에서 인간이 사용되도록 운명지어졌다."

   ㉢ 베이컨 : 자연을 인류 복지의 수단으로 보고, 자연에 관한 지식의 활용을 강조함 → "지식은 힘이다."

   ㉣ 데카르트 : 자연을 단순한 물질 또는 기계로 파악함으로써 도덕적 고려의 대상에서 제외함

   ㉤ 칸트 : 이성적 존재만이 자율적으로 행동하는 도덕적 주체가 될 수 있다고 강조하면서 자연의 도덕적 지위를 부정함

3) 동물 중심주의

① 특징 : 동물을 인간을 위한 수단으로 여기는 것을 반대하고, 동물 복지와 권리의 향상을 강조함

② 대표적 사상가

   ㉠ 싱어
- 공리주의에 기초한 '동물 해방론' 주장
- 도덕적 고려의 기준을 쾌고감수능력으로 봄

   ㉡ 레건
- 의무론에 기초한 '동물 권리론' 주장
- 동물도 삶의 주체로서 내재적 가치를 지니므로 도덕적으로 존중받을 권리가 있다고 봄

4) 생명 중심주의

① 특징 : 모든 생명체는 그 자체로서 가치를 지니므로 도덕적 고려의 범위를 모든 생명체로 확대함

② 대표적 사상가

㉠ 슈바이처 : 「생명 외경」 강조, 모든 생명은 살고자 하는 의지가 있으며, 그 자체로서 신성함

㉡ 테일러 : 모든 생명체는 의식의 여부와 상관없이 자기 보존과 행복이라는 목적을 지향하는 '목적론적 삶의 중심'임

5) 생태 중심주의

① 특징 : 도덕적 고려의 범위를 무생물을 포함한 생태계 전체로 보아야 한다는 전일론(全一論)적 입장을 주장함

② 대표적 사상가

㉠ 레오폴드

· 대지 윤리 : 도덕 공동체의 범위를 식물, 토양, 물을 포함하는 대지까지 포함

· 인간은 대지의 한 구성원일 뿐이며, 자연은 인간의 이해와 상관없이 내재적 가치를 지님

㉡ 네스

· 심층 생태주의 : 세계관과 생활양식 자체를 생태 중심주의로 바꿈

· 큰 자아실현 : 자기를 자연과의 상호 관련성을 통해 이해하는 과정

· 생명 중심적 평등 : 모든 생명체는 상호 연결된 공동체의 구성원으로 동등한 가치를 지님

(2) 환경 문제에 대한 윤리적 쟁점

1) 환경 문제의 원인과 특징

① 환경 문제의 원인 : 산업화·도시화가 되면서 화석 연료의 무분별한 사용으로 인해 자원 고갈과 환경오염 문제가 발생함

② 환경 문제의 특징 : 지구 자정 능력 초과, 전지구적 영향, 책임 소재 불분명

2) 기후 변화와 기후 정의 문제

① 기후 변화 : 자연적 요인이나 인간 활동의 결과로 장기적으로 기후가 변하는 현상

② 기후 변화의 문제점

    ㉠ 다양한 생물종의 감소와 멸종

    ㉡ 농토의 사막화와 식량 생산량 감소

    ㉢ 해수면 상승 등으로 환경 난민을 초래함

③ 기후 정의 : 기후 변화에 따른 불평등을 해결함으로써 실현되는 정의 → 기후 변화 문제를 형평성의 관점에서 바라봄

④ 기후 정의를 실현하기 위한 노력

    ㉠ 선진국들의 책임 있는 자세 : 기후 변화로 고통 받는 나라에 보상과 지원을 해야 함

    ㉡ 국제적 노력 필요 : 기후 변화 협약, 교토 의정서, 파리 협정 등

3) 미래 세대에 대한 책임과 책임 윤리

① 미래 세대에 대한 책임 문제 : 환경 문제는 현 세대뿐만 아니라 미래 세대까지 영향을 미친다는 점에서 미래 세대에 대한 현 세대의 책임을 요구하는 성격을 지님

② 요나스의 책임 윤리

    ㉠ 의무론적 차원에서 현 세대뿐만 아니라 미래 세대 또한 환경에 대한 권리를 가짐

    ㉡ 생태학적 정언 명법 : "내 행위의 결과가 지구 상의 인간의 삶에 대한 미래의 가능성을 파괴하지 않도록 행위하라." → 두려움, 겸손, 검소, 절제 등의 덕목을 제시함

4) 환경적으로 건전하고 지속 가능한 발전

① 환경적으로 건전하고 지속 가능한 발전 : 미래 세대가 그들의 필요를 충족시킬 수 있는 가능성을 손상시키지 않는 범위에서 현재 세대의 필요를 충족시키는 개발 방식

② 환경적으로 건전하고 지속 가능한 발전을 위한 노력

    ㉠ 개인적 차원 : 환경 친화적 소비 생활을 해야 함

    ㉡ 사회적 차원 : 환경을 고려하여 개발하고 건전한 환경 기술을 발전시켜야 함

    ㉢ 국제적 차원 : 환경 문제에 대한 국제 협력 체제를 갖추어야 함

1. 과학 기술의 긍정적 측면으로 옳지 <u>않은</u> 것은?

    ① 물질적 풍요를 누리게 해 주었다.
    ② 자연을 도구적 가치로 이해하게 하였다.
    ③ 인류의 식량난 해결에 기여하고 있다.
    ④ 건강과 장수에 대한 인간의 꿈을 실현시키고 있다.

2. 과학 기술의 가치 중립성을 인정하는 입장으로 옳은 것은?

    ① 과학 기술 그 자체는 좋은 것도 나쁜 것도 아니다.
    ② 과학 기술은 가치의 간섭으로부터 자유로울 수 없다.
    ③ 과학 기술은 윤리적 가치 평가에 의해 지도되고 규제되어야 한다.
    ④ 과학 기술자는 연구 대상을 선정하는 과정에서 가치로부터 독립적이지 않다.

3. 과학 기술 지상주의의 특징으로 옳은 것은?

    ① 과학 기술의 폐해만을 부각시킨다.
    ② 과학 기술의 가치를 인정하지 않는다.
    ③ 과학 기술의 유용성만을 강조한다.
    ④ 과학 기술에 대한 비판적 접근을 중시한다.

4. 다음 설명에 해당하는 서양 사상가는?

    > 윤리적 책임의 범위를 인간을 포함한 자연으로, 시간적으로는 먼 미래 세대로 확대하였다. 그는 행해진 것에 대한 사후 책임 부과를 특징으로 하는 전통적 윤리학의 책임 개념과는 다른, 행위되어야 할 것에 대한 책임을 제시하였다.

    ① 칸트   ② 요나스
    ③ 벤담   ④ 베버

5. 다음 〈보기〉의 내용과 일치하는 내용으로 적절한 것은?

> ─────〈보기〉─────
>
> 정보와 같은 지적 재산은 인류가 누려야 할 소중한 자산이기 때문에 모두가 공유해야 한다.

① 창작자의 경제적 이익을 보장해야 한다.
② 정보의 소유권 보장은 창작 의욕을 증진시킨다.
③ 정보에 대한 접근 기회를 소수에게 제한해야 한다.
④ 생산된 정보를 공공재로 간주해야 한다.

6. 지식 정보 사회에서 발생하는 문제가 <u>아닌</u> 것은?

① 일의 효율성 저하
② 지적 재산권 침해
③ 사이버 범죄
④ 저급한 정보의 생산과 유통

7. 다음에서 설명하는 가상 공간의 특징은?

> 가상 공간에서는 개인 간의 직접적인 접촉보다는 간접적인 접촉이 중심을 이루기 때문에 각자의 신분이 드러나지 않는다.

① 사회성   ② 객관성
③ 익명성   ④ 절대성

8. 정보화의 긍정적인 측면으로 거리가 <u>먼</u> 것은?

① 수평적 인간관계가 증대된다.
② 인간 소외 문제를 완전히 해결할 수 있다.
③ 다수 대 다수의 커뮤니케이션이 가능하다.
④ 새롭고 다양한 인간관계를 형성할 수 있다.

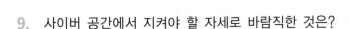

9. 사이버 공간에서 지켜야 할 자세로 바람직한 것은?

　① 무단으로 개인 정보를 수집하고 스팸 메일을 보낸다.
　② 익명성이 보장될 때에는 다른 사람을 모욕해도 된다.
　③ 음란물이나 폭력물과 같은 불건전한 정보를 올리지 않는다.
　④ 싫어하는 연예인에 대한 허위 사실을 인터넷에 퍼뜨린다.

10. 다음 글에서 설명하는 개념으로 옳은 것은?

> 　이메일이나 휴대 전화, SNS, 인터넷 카페 등을 이용하여 특정인을 집단으로 괴롭히는 현상을 의미한다. 특징으로는 익명성 외에도 상시성, 신속성, 확산성, 시각적 충격 등이 있다.

　① 사이버 불링　　　　　　　　② 사이버 헌팅
　③ 사이버 소외　　　　　　　　④ 집단 따돌림

11. 다음 중 인격권에 해당하지 <u>않는</u> 것은?

　① 자신의 초상에 대한 초상권
　② 사생활을 침해당하지 않을 사생활권
　③ 자신의 정보에 접근할 수 있는 정보권
　④ 자신의 성명을 사용하는 것에 관한 성명권

12. 다음 글의 빈칸에 들어갈 알맞은 말은?

> 　포털 사이트는 사용자가 일단 정보를 올리면 그에 대한 재산권을 소유한다. 이를 통해 엄청난 개인 정보를 확보한 포털 사이트는 게임과 뉴스, 광고 비즈니스를 벌이며 막대한 수입을 올리고 있다. 따라서 이러한 포털 사이트의 정보 독점 및 남용 횡포에 반대하며, 개인에게 자신이 올린 정보의 삭제권을 부여하는 (　　　)을(를) 주장하는 움직임이 나타나게 되었다.

　① 알권리　　　　　　　　　　② 잊힐 권리
　③ 인격권　　　　　　　　　　④ 사생활권

13. 다음 중 뉴미디어의 특징에 대한 설명으로 바르게 선택한 학생은?

	갑	을	병	정
이용자가 능동적으로 정보를 소비하고 생산할 수 있다.	∨		∨	∨
대규모 집단에 획일적으로 메시지를 전달하는 방식을 주로 한다.	∨		∨	
모든 정보가 디지털화되어 정보를 신속하고 정확하게 처리할 수 있다.		∨		∨
수신자가 원하는 시간에 정보를 볼 수 있다.		∨	∨	∨

① 갑   ② 을   ③ 병   ④ 정

14. 다음 내용을 주장한 사상가는?

> "과학자의 목적은 자연의 비밀을 파헤치는 데 있다."고 하면서 "자연을 이용해서 노예로 만들어 인간에게 사용하도록 해야 한다."고 주장하였다.

① 흄   ② 벤담
③ 루소   ④ 베이컨

15. 다음 중 레건의 동물 중심주의에 대한 설명으로 가장 적절한 것은?

① 원칙적으로 모든 생명체는 동등한 가치를 지닌다.
② 자연은 인간의 욕구를 충족하기 위한 도구일 뿐이다.
③ 인간의 상업적 이익을 위해 동물 실험을 해서는 안 된다.
④ 생명 개체가 아닌 전체의 자연환경을 보전해야 한다.

16. 다음을 주장한 서양의 사상가는?

> 윤리 역시 생명 외경 이외에 아무것도 아니다. 생명을 유지하고 고양하는 것이 선이며, 생명을 파괴하고 훼손하는 것은 악이다.

① 슈바이처   ② 칸트
③ 아리스토텔레스   ④ 레오폴드

17. 다음 글의 밑줄 친 부분에 대한 설명으로 옳지 <u>않은</u> 것은?

> 테일러는 목표 지향적 존재인 생명체를 내재적 가치를 지닌 존재로 간주하고 도덕적으로 존중하는 태도를 가져야 한다고 강조한다. 테일러는 자연 존중의 태도와 관련하여 <u>생명체에 대한 의무</u>를 제시하고 있다.

① 생명체에 해를 끼쳐서는 안 된다.
② 동물을 속이는 행위를 해서는 안 된다.
③ 개별 유기체의 자유에 제약을 가해서는 안 된다.
④ 전 생태계의 다양성을 보존하기 위해 진행 과정에 간섭해야 한다.

18. 다음 중 레오폴드의 생태 중심주의에 대한 설명으로 옳은 것은?

① 어떠한 경우에도 생명을 해쳐서는 안 된다.
② 도덕적 고려의 범위를 생태계 전체로 확대해야 한다.
③ 동물 이외의 식물이나 무생물은 도덕적 고려의 대상에서 제외된다.
④ 도덕적 행위의 능력 유무가 도덕적 고려 대상의 근거이다.

19. 다음에서 설명하는 도교의 이상적인 삶은?

> 인위를 거부하고 자연 그대로 어린아이와 같은 순진무구한 모습과 자연의 섭리로 소박한 삶을 살아감.

① 극기복례(克己復禮)   ② 호연지기(浩然之氣)
③ 무위자연(無爲自然)   ④ 경세치용(經世致用)

20. 다음 중 지속 가능한 발전에 대한 설명으로 옳은 것은?

① 생태적 지속 가능성을 고려한 과학 기술의 발전을 추구한다.
② 미래 세대의 욕구보다는 현세대의 욕구 충족을 우선시한다.
③ 생태계 보전을 위하여 생태계에 대한 인간의 불간섭을 주장한다.
④ 환경 보전보다는 경제 발전을 우선시하는 인간 중심주의의 입장이다.

05. 문화와 윤리

01. 예술과 대중문화 윤리

(1) 예술과 윤리의 관계

1) 예술의 의미와 기능

① 예술의 의미 : 아름다움을 표현하고 창조하는 인간의 모든 활동과 그 산물

② 예술의 기능 : 인간의 정서와 감정의 순화, 심리적 안정과 즐거움 제공, 인간의 사고 확장, 사회 모순 비판 등

2) 예술과 윤리의 관계

① 예술 지상주의

　㉠ 예술의 목적 : 예술 그 자체 또는 미적 가치를 구현하는 것

　㉡ 윤리적 규제에 대한 입장 : 예술의 자율성과 독립성을 강조함 → 윤리적 가치를 기준으로 예술을 평가하고 규제해서는 안 됨

　㉢ 대표적 사상가 : 와일드, 스펑건

　㉣ 문제점 : 인간의 삶과 무관한 예술이 될 수 있고, 예술의 사회적 영향이나 책임을 간과할 수 있음

② 도덕주의

　㉠ 예술의 목적 : 올바른 품성을 기르고 도덕적 교훈이나 모범을 제공하는 것

　㉡ 윤리적 규제에 대한 입장 : 예술의 사회성 강조 → 예술에 대한 적절한 규제가 필요함. 예술은 사회의 모순을 지적하고 사회의 도덕적 성숙에 기여해야함

　㉢ 대표적 사상가 : 플라톤, 톨스토이

　㉣ 문제점 : 미적 요소가 경시될 수 있고, 예술의 자율성을 침해할 수 있음

③ 예술과 윤리의 관계

　㉠ 예술은 미적 가치를 추구하면서 도덕적 가치와 조화로운 관계를 추구함 → 인격 형성에 긍정적인 영향

　㉡ 공자 : "인(仁)에 의지하고, 예(禮)에서 노닐어야 한다." "예(禮)에서 사람이 서고 악(樂)에서 사람의 인격이 완성된다."

　㉢ 칸트 : "미(美)는 도덕성의 상징이다." → 자유로운 미적 체험이나 자유로운 도덕적 행위는 특정 이익을 추구하는 것이 아니라는 점에서 유사함

3) 예술의 상업화

① 예술의 대중화 : 예술 작품의 복제와 대량 생산, 보급이 가능해지면서 일반 대중 누구나 예술을 즐기는 현상

② 예술의 상업화

    ㉠ 예술의 상업화 : 상품을 사고파는 행위를 통해 이윤을 얻는 일이 예술 작품에도 적용되는 현상

    ㉡ 긍정적 측면 : 예술의 대중화에 기여, 예술가에게 경제적 이익을 제공하고 창작 의욕을 북돋음

    ㉢ 부정적 측면 : 예술의 본질을 왜곡하고, 예술 작품을 부의 축적 수단으로 바라봄, 예술 작품의 미적 가치와 윤리적 가치를 간과함

(2) 대중문화의 윤리적 문제

1) 대중문화의 의미와 특징

① 대중문화의 의미 : 대중 사회를 기반으로 형성되어 다수의 사람들이 공통으로 쉽게 접하고 즐기는 문화

② 대중문화의 특징

    ㉠ 대중 매체에 의해 생산되고 확산되는 경우가 많음

    ㉡ 시장을 통해 유통됨 → 이윤을 창출하는 상업적 특징을 지님

    ㉢ 대중이 살아가는 시대상을 반영함

2) 대중문화와 관련된 윤리적 문제

① 대중문화의 선정성과 폭력성 문제 → 대중의 정서에 악영향, 모방 범죄로 이어지기도 함

② 대중문화의 자본 종속 문제 → 대중문화의 다양성 위축, 예술의 자율성과 독립성을 제약

3) 대중문화의 윤리적 규제 논쟁

① 규제 찬성 입장

    ㉠ 성의 상품화 예방

    ㉡ 대중의 정서에 미칠 부정적 영향을 방지할 수 있음

② 규제 반대 입장

  ㉠ 자율성 및 표현의 자유를 강조

  ㉡ 대중이 다양한 문화를 누릴 권리 보장의 필요성

02. 의식주 윤리와 윤리적 소비

(1) 의복 문화와 윤리적 문제

1) 의복의 윤리적 의미

① 의복의 의미

  ㉠ 좁은 의미 : 몸을 감싸거나 가리기 위해 입는 옷

  ㉡ 넓은 의미 : 외모를 꾸미는 데 쓰이는 모든 것(장신구, 신발, 가방, 모자 등)

② 의복의 기능 : 신체 보호, 신분이나 지위 표현, 시대상의 반영 등

③ 의복의 윤리적 의미

  ㉠ 개인적 차원 : 개성을 표현하고, 자아 및 가치관의 형성에 영향을 미침

  ㉡ 사회적 차원 : 때와 장소에 맞는 의복 착용을 통해 예의를 표현함

2) 의복 문화의 윤리적 문제

① 유행 추구 현상

  ㉠ 긍정적 관점 : 개성과 가치관의 표현

  ㉡ 부정적 관점 : 몰개성화와 환경 문제, 패스트 패션

② 명품 선호 현상

  ㉠ 긍정적 관점 : 개인의 자유, 자신의 품위를 높이는 수단이 된다고 봄

  ㉡ 부정적 관점 : 과시 소비, 과소비 및 사치 풍조 조장

③ 생태·환경 문제 : 패스트 패션으로 유해 물질이 발생하고, 동물에게 과도한 고통을 유발함

3) 바람직한 의복 문화 확립을 위한 노력

① 패스트 패션 기업은 사회적 책임 의식을 지니고 윤리 경영을 실천해야 함

② 소비자는 인권과 생태 환경을 고려하는 윤리적 소비를 해야 함

(2) 음식 문화와 윤리적 문제

1) 음식 문화의 윤리적 의미

① 생명과 건강을 유지하는 원동력

② 사회의 도덕성 및 건강한 생태계 유지에 영향

2) 음식 문화의 윤리적 문제

① 식품 안전성 문제

　㉠ 인체에 해로운 음식 섭취는 생명권을 위협함

　㉡ 화학 첨가제가 들어간 식품, 유전자 변형 식품(GMO), 패스트 푸드와 정크 푸드 등

② 환경 문제

　㉠ 식품의 생산 · 유통 · 소비 과정에서 환경오염 문제가 발생함

　㉡ 화학 비료로 토양 · 수질 오염, 음식물 쓰레기 증가, 식품 운송에 따른 탄소 배출량 증가 등

③ 동물 복지 문제

　㉠ 동물에 대한 비윤리적 처우 문제가 발생함

　㉡ 육류 소비 증가, 대규모 공장식 사육 등

④ 음식 불평등 문제

　㉠ 식량 수급의 불평등과 음식 불평등 문제가 발생함

　㉡ 제 3세계 인구 증가, 국가 간 빈부 격차 심화 등

3) 바람직한 음식 문화 확립을 위한 노력

① 개인적 노력 : 타인과 생태계를 고려하는 음식 문화를 형성함 → 로컬 푸드 · 슬로 푸드 운동 참여, 육류 소비 절제

② 사회적 노력 : 바람직한 음식 문화 확립을 위한 제도적 기반을 마련함 → 안전한 먹거리 인증과 성분 표시 의무화, 동물의 고통을 최소화하는 제도 마련

(3) 주거 문화와 윤리적 문제

1) 주거의 윤리적 의미

① 삶의 기본 바탕 : 외부로부터 위험을 피함, 휴식과 안식처 제공

② 안정된 생활의 토대 : 가족과의 유대감은 안정적인 사회생활의 출발점

2) 주거 문화의 윤리적 문제

① 집의 경제적 가치만 강조 : 주거권의 위기 초래함

② 공동 주택의 폐쇄적 형태 : 이웃 간의 소통과 협력의 부재, 주차, 소음 문제 발생함

③ 도시 중심의 주거 문화 변화로 삶의 질 하락 : 환경, 교통 등 문제 발생

3) 바람직한 주거 문화 확립을 위한 노력

① 주거의 본질적 가치를 회복해야 함

② 공동체를 고려하는 주거 문화를 형성해야 함 : 셰어 하우스, 코하우징 등 새로운 주거 형태가 등장함

③ 지역 간 격차 해소 : 주거 환경의 균형적 발전과 주거 정의를 추구해야 함

(4) 윤리적 소비문화

1) 현대 사회의 소비문화의 특징

① 대량 소비와 과소비가 나타나면서 경제 규모가 확대됨

② 사회적 욕구나 자아실현의 욕구를 충족하려는 소비가 확대됨

③ 물질주의 추구 소비, 과시적 소비, 동조 소비 등이 나타남

④ 문제점 : 자원 고갈, 생태계 파괴 등

2) 합리적 소비

① 합리적 소비의 의미 : 자신의 경제력 내에서 가장 큰 만족을 추구하는 소비

② 합리적 소비의 특징 : 경제적 합리성이 상품 선택의 기준이 되며, 소비자 개인의 경제적 이익이나 만족감을 중시

③ 문제점 : 소비자가 합리적 소비만을 중시한다면 생산자가 원가 절감을 위해 다양한 방법을 사용함으로써 여러 가지 문제를 일으킬 수 있음

3) 윤리적 소비

① 윤리적 소비의 의미 : 윤리적 가치 판단에 따라 상품이나 서비스를 구매하고 사용하는 것을 중시하는 소비

② 윤리적 소비의 특징 : 인권과 정의 고려, 공동체적 가치 추구, 동물 복지 고려, 환경 보전 추구

③ 윤리적 소비의 실천 방안

　　㉠ **개인적 차원** : 불매운동, 윤리적 등급에 따른 상품의 비교 구매, 공정 무역 제품이나 친환경 농산물 등 바람직한 윤리적 상품 구매, 재사용과 재활용 등

　　㉡ **사회적 차원** : 친환경 제품 인증과 환경 마크, 기업의 윤리 경영을 촉진하기 위한 제도 마련, 사회적 기업의 활동을 지원하는 법률 제정 등

④ 사회적 기업

　　㉠ **사회적 기업** : 사회적 가치를 우위에 두고 재화와 서비스를 생산하고 판매하는 활동을 수행하는 기업

　　㉡ 공공성을 기반으로 사회적 목적을 우선적으로 추구함

　　㉢ 자립적 운영을 위해 이익을 추구하지만 발생한 이익을 공익을 위한 일이나 지역 사회에 재투자함

03. 다문화 사회의 윤리

(1) 문화의 다양성과 존중

1) 다문화 사회의 특징

① 다문화 사회의 의미 : 한 국가 안에 다양한 인종과 문화적 배경을 지닌 사람들이 공존하는 사회

② 다문화 사회의 특징

　　㉠ **긍정적인 측면** : 사회 구성원의 문화 선택의 폭이 넓어지고 문화가 발전할 수 있는 기회가 확대되며, 다양성과 다원성, 차이를 강조함

　　㉡ **부정적인 측면** : 다양한 문화적 요소의 충돌로 갈등이 발생함

2) 다문화 존중과 관용의 중요성

① 다양한 문화를 바라보는 태도

　　㉠ **자문화 중심주의** : 자국의 문화를 기준으로 다른 문화를 무조건 낮게 평가하는 태도

　　㉡ **문화 사대주의** : 자국의 문화를 열등하게 여겨 다른 문화를 숭배하고 추종하는 태도

　　㉢ **문화 상대주의** : 각 문화가 지닌 고유성과 상대적 가치를 이해하고 존중하는 태도

② 관용의 의미와 한계
　　㉠ 관용의 의미
　　　・소극적 의미 : 다른 문화를 접할 때 반대나 간섭, 배타적인 태도를 보이지
　　　　않는 것
　　　・적극적 의미 : 받아들일 수 없는 상대방의 주장이나 가치관을 이해하려고 노
　　　　력하는 것
　　㉡ 관용의 한계 범위 : 타인의 인권과 자유를 침해하지 않는 범위, 사회 질서를
　　　훼손하지 않는 범위 내에서 관용을 실천해야 함

(2) 다문화 사회의 정책과 바람직한 시민 의식
　1) 다문화 정책
　　① 차별적 배제 모형 : 이주민을 특정 목적으로만 받아들이고, 내국인과 동등한 권
　　　리를 인정하지 않는 관점
　　② 동화주의
　　　㉠ 이주민의 문화와 같은 소수 문화를 주류 문화에 적응시키고 통합시키려는 관점
　　　㉡ 용광로 모형 : 다양한 문화를 섞어서 하나의 새로운 문화로 만듦
　　③ 다문화주의
　　　㉠ 이주민의 고유한 문화와 자율성을 존중하여 문화 다양성을 실현하려는 관점
　　　㉡ 샐러드 볼 모형과 모자이크 모형
　　　　・샐러드 볼 모형 : 각 재료의 특성이 살아있는 샐러드처럼 여러 민족의 문화
　　　　　가 조화롭게 공존한다는 입장
　　　　・모자이크 모형 : 다양한 조각들이 모여 하나의 모자이크가 되듯이, 여러 이
　　　　　주민의 문화가 모여 하나의 문화를 이룬다는 입장
　　④ 문화 다원주의
　　　㉠ 문화의 다양성을 인정하면서 주류 문화의 역할을 강조하는 입장
　　　㉡ 국수 대접 모형 : 주류 문화가 국수와 국물처럼 중심 역할을 하고, 이주민의
　　　　문화는 고명이 되어 자신의 문화적 정체성을 유지하면서 조화롭게 공존할 수
　　　　있다는 입장

　2) 다문화 사회의 시민 의식 : 문화적 편견 극복, 윤리적 상대주의 지양, 바람직한 문
　　화 정체성, 관용 등

(3) 종교와 윤리의 관계

1) 종교의 의미

① 종교의 의미 : 신앙 행위와 종교의 가르침, 성스러움과 관련된 심리 상태 등 다양한 현상을 아우르는 말

② 종교의 발생 : 인간의 유한성과 불완전성, 한계 상황에서 인간은 종교를 통해 삶과 죽음의 의미와 같은 궁극적 물음에 대한 대답을 얻고자 함

③ 종교의 역할

㉠ 개인의 불안감을 극복하고 마음의 안정을 얻게 함

㉡ 삶의 바람직한 방향을 모색할 수 있게 함

㉢ 인류의 보편적 가치를 추구하는 등 사회 통합을 이루는 계기가 되기도 함

2) 종교와 윤리의 관계

① 종교와 윤리의 공통점과 차이점

	종교	윤리
공통점	도덕성을 중시함 → 인간의 존엄성을 실현하는 윤리적 계율을 강조함	
차이점	초월적인 세계나 궁극적 존재를 상정하고, 종교적 신념 및 교리에 따른 규범을 제시함	종교적으로 중립적인 태도를 지니고 인간의 이성, 상식, 양심이나 감정에 근거한 현실 세계의 규범을 제시함

② 종교와 윤리의 바람직한 관계 : 종교는 윤리적 삶을 고양하는 데 도움을 줄 수 있고, 윤리는 종교가 올바른 방향으로 나아가는 데 도움을 줄 수 있음

(4) 종교 갈등의 원인과 극복 방안

1) 종교 갈등의 원인과 양상

① 종교 갈등의 원인

㉠ 타 종교에 대한 배타적인 태도

㉡ 타 종교에 대한 무지와 편견

② 종교 갈등의 양상

㉠ 다른 종교를 믿는 사람들 사이의 갈등이 테러, 폭력 등으로 이어짐

㉡ 종교 갈등에 계급, 인종, 민족, 자원 등 다른 요소가 연관되어 심화됨

2) 종교 갈등의 극복 방안

　① 종교적 관용 필요 : 종교의 자유를 인정하고 타 종교에 대한 관용의 태도가 필요함

　② 종교 간 대화와 협력 : 큉 – "종교 간의 대화 없이 종교 간의 평화 없고, 종교 간의 평화 없이는 세계 평화도 없다."

1. 다음 중 예술의 역할에 대한 설명으로 옳지 <u>않은</u> 것은?

   ① 정서와 감정을 정화하는 역할을 한다.
   ② 교환 가치가 가장 중시되는 활동이다.
   ③ 삶을 한층 풍요롭게 가꾸어 나갈 수 있도록 한다.
   ④ 인간이 자신의 생각과 감정을 자유롭게 표현하는 활동이다.

2. 갑과 을이 예술과 윤리의 관계를 바라보는 관점을 바르게 짝지은 것은?

   > 갑 : 예술은 인간의 영혼에 영향을 미치므로 윤리의 관점에서 예술 작품을 선별해야
   >   합니다.
   > 을 : 예술을 위한 예술이 진정한 예술입니다.

	갑	을
①	도덕주의	구조주의
②	자율주의	방관주의
③	도덕주의	예술 지상주의
④	예술 지상주의	대중주의

3. 다음 중 도덕주의에 대한 설명으로 옳은 것을 〈보기〉에서 모두 고른 것은?

   > ─── 〈보기〉 ───
   > ㄱ. 예술 작품은 윤리적 가치로 평가되어야 한다.
   > ㄴ. 예술 작품은 인격 완성에 도움을 주어야 한다.
   > ㄷ. 예술 작품은 예술을 위한 예술을 지향해야 한다.
   > ㄹ. 예술 작품은 도덕적 평가로부터 자유로워야 한다.

   ① ㄱ, ㄴ   ② ㄱ, ㄷ
   ③ ㄴ, ㄹ   ④ ㄷ, ㄹ

4. 다음 현상을 설명하는 개념으로 가장 적절한 것은?

> · 워홀은 자신을 사업 미술가라고 하였고, 자신의 작업실을 공장으로 표현하였다.
> · 예술가들이 더 큰 경제적 이익을 얻기 위하여 작품을 만들게 한다.

① 예술의 대중화   ② 예술의 상업화

③ 예술의 자유화   ④ 예술의 고급화

5. 다음 중 예술의 상업화가 지닌 문제점으로 거리가 먼 것은?

① 예술가 정신의 타락

② 예술의 자율성 훼손

③ 예술 작품의 질적 저하

④ 일반 대중도 쉽게 예술을 감상할 기회 부여

6. 다음 〈보기〉의 내용과 일치하는 내용으로 적절한 것은?

─〈보기〉─

> 일상적인 상식을 벗어난 성적 욕망과 표현을 제한하는 검열은 옳다. 이는 예술도 최상의 가치인 인간 존엄성을 지향하도록 이끌기 위해 필요한 제도이기 때문이다.

① 예술의 질을 제고하기 위해서 검열 제도는 필요하다.

② 예술 작품에 대한 검열은 예술의 다양성을 훼손한다.

③ 예술 활동에서 표현의 자유를 최대한 보장해야 한다.

④ 예술 활동에서 성적 표현에 대한 제약과 검열은 폐지되어야 한다.

7. 다음 중 의복과 관련된 윤리적 문제가 아닌 것은?

① 패스트 패션으로 인해 자원의 낭비가 심각하다.

② 동조 소비로 인해 몰 개성화가 나타난다.

③ 과시 소비로 인해 사회적 위화감을 형성한다.

④ 명품 선호 현상으로 인해 개인의 품위를 높여준다.

8. 다음 〈보기〉의 내용과 일치하는 내용으로 적절한 것은?

───────────〈보기〉───────────

　　소박한 식사와 물만으로 만족하고 호사스러운 삶의 쾌락을 멀리할 때 나의 몸은 상쾌하기 그지없다네. 내가 무절제하고 향락적인 삶을 멀리하는 까닭은 그러한 삶 자체가 나쁘기 때문이라기보다는 그러한 삶 뒤에 찾아오는 해악 때문이라네.

① 먹는 행위를 통해 개인의 개성을 표현해야 한다.
② 절제의 미덕을 살려 적당한 섭취를 생활화해야 한다.
③ 먹는 행위를 통해 유대감과 소속감을 형성해야 한다.
④ 먹는 행위의 문화적 의미를 강조해야 한다.

9. 다음 〈보기〉에서 설명하는 음식 운동은?

───────────〈보기〉───────────

　　이탈리아 로마에 패스트 푸드 지점이 생긴 것을 반대하면서 시작되었는데, '좋고, 깨끗하고, 공정한(good clean fair) 먹을거리'를 모토로 하고 있다.

① 정크 푸드 운동　　　　　　　② 로컬 푸드 운동
③ 슬로 푸드 운동　　　　　　　④ 인스턴트 운동

10. 다음 〈보기〉에서 설명하는 기업은?

───────────〈보기〉───────────

　　사회적 가치를 우위에 두고 재화와 서비스를 생산하고 판매하는 활동을 수행하는 기업으로 대표적으로는 아름다운 가게가 있다.

① 자율적 기업　　　　　　　　② 효율적 기업
③ 합리적 기업　　　　　　　　④ 사회적 기업

11. 다음 중 바람직한 주거 문화에 대한 설명으로 옳은 것은?

① 집과 인간은 분리할 수 있는 관계이다.
② 집에 대한 경제적 가치를 중시해야 한다.
③ 집은 행복한 삶을 위한 기본 터전이 된다.
④ 집은 안식과 평안함을 제공해 주므로 투기의 대상이 된다.

12. 다음 중 윤리적 소비를 실천하는 태도로 보기 어려운 것은?

① 비윤리적인 기업의 상품을 구매하지 않는다.
② 친환경 상품이나 공정 무역 상품을 구매한다.
③ 옷이나 물건 등을 되도록 오래 사용하려고 한다.
④ 소유에 치중된 삶을 살기 위해 물건을 버리지 않는다.

13. 다음 〈보기〉에서 설명하는 다문화 모형은?

─── 〈보기〉 ───
　이주민들은 자신의 문화를 포기하고 기존의 지배적 가치관과 문화를 수용하여 이에 적응해야 한다.

① 차별적 배제 모형
② 동화 모형
③ 샐러드 볼 모형
④ 국수 대접 모형

14. 다음 〈보기〉에서 설명하고 있는 관점에 대한 설명으로 옳은 것은?

─── 〈보기〉 ───
　샐러드에 들어간 채소와 과일들이 고유한 맛을 유지하면서도 조화롭게 어우러지듯이, 다양한 문화들이 고유성을 유지하면서 조화를 이루어야 한다.

① 다양한 문화들 간의 우열을 가린다.
② 주류 문화에 비주류 문화를 통합시켜야 한다.
③ 다양한 문화들의 정체성이 존속되어야 한다.
④ 사회 발전을 위해 단일한 문화를 형성해야 한다.

15. (가), (나)에서 설명하는 문화에 대한 태도를 바르게 연결한 것은?

> (가) 우리 문화의 우월성에 빠져, 자신에게 익숙하지 않은 타 문화를 부정적으로 평가하는 태도이다.
>
> (나) 타 문화를 무조건적으로 동경하여 자신의 문화를 업신여기는 태도이다.

	(가)	(나)
①	국수주의	문화 상대주의
②	문화 근본주의	문화 사대주의
③	문화 통합주의	타문화 중심주의
④	자문화 중심주의	문화 사대주의

16. 다음 중 문화 상대주의의 관점을 갖고 있는 사람은?

① 갑 : 선진국의 문화가 항상 최고라고 생각해.
② 을 : 혐오하는 음식이 나라마다 다른 것은 당연해.
③ 병 : 한민족의 문화가 세계에서 으뜸이라고 생각해.
④ 정 : 옷을 입지 않고 생활하는 민족은 미개한 민족이야.

17. 다음 중 사람들이 종교를 가지는 이유로 적절하지 <u>않은</u> 것은?

① 고통을 이기기 위해
② 삶의 의미를 찾기 위해
③ 교양 있는 사람으로 보이기 위해
④ 인간의 한계성과 유한성을 초월하기 위해

18. 다음과 같은 갈등을 해결하기 위한 자세로 옳은 것은?

> 1948년 유대인들이 이스라엘이라는 국가를 세우면서 팔레스타인뿐 아니라 주변 이슬람 국가들과의 분쟁이 시작되었고, 지금까지 네 번의 큰 전쟁을 치렀다. 그러나 지금까지도 그 분쟁이 계속되고 있어 '중동의 화약고'라고 불린다.

① 과학의 발전을 통해 해결할 수 있는 문제이다.
② 종교적 교리를 적극적으로 실천하며 타 종교를 적대시한다.
③ 서로 다른 종교는 갈등을 초래하므로 하나의 종교를 강요한다.
④ 내 종교가 소중하듯 다른 사람의 종교도 중요하다는 자세를 지닌다.

19. 다음 (   ) 안에 들어갈 말로 옳은 것은?

> (   )(이)란, 타인의 생각이나 문화가 나와 다를지라도 이를 존중하는 태도를 말한다. 나아가 (   )(은)는 타자의 자연적 권리를 인정하라는 도덕적 명령을 말한다.

① 관용   ② 절제
③ 자비   ④ 중용

20. 다음과 같은 도덕 원리를 일컫는 말로 알맞은 것은?

> · "네가 남에게 바라는 대로 남에게 해 주어라."
> · "네가 싫어하는 것을 다른 사람에게 하지 마라."
> · "네가 하고 싶지 않은 일을 남에게 시키지 마라."

① 황금률   ② 중용
③ 책임감   ④ 의무감

06. 평화와 공존의
윤리

01. 갈등 해결과 소통 윤리

(1) 사회 갈등과 사회 통합

1) 갈등의 의미와 기능
① 갈등 : 개인이나 집단 사이에 목표나 이해관계가 달라 충돌하는 상황
② 사회 갈등의 원인 : 생각이나 가치관의 차이, 이해관계의 대립, 원활한 소통의 부재

2) 사회 갈등의 유형
① 세대 갈등 : 기술이나 규범의 변화에 빠르게 적응하는 신세대와 그러지 못한 기성 세대 간의 갈등
② 이념 갈등 : 이상적인 것으로 여기는 생각이나 견해의 차이에 따른 갈등
③ 지역 갈등 : 지역 발전 시설이나 투자를 자신의 지역에 유치하려는 과정, 혹은 타 지역에 대한 편견에서 오는 갈등

3) 사회 통합을 위한 노력
① 사회 통합의 의미 : 사회 내 개인이나 집단의 상호 작용을 통해 하나로 통합되는 과정
② 사회 통합의 실천 방안
　㉠ 의식적 차원 : 다양성을 인정하면서 대화와 토론으로 의사 결정을 하는 성숙한 민주 시민의 자세가 필요함
　㉡ 제도적 차원 : 공청회, 설명회 등을 법제화하고, 지방 분권, 지역 균형 발전, 복지 정책 등을 확대하여 불평등이나 격차의 완화를 추구함

(2) 소통과 담론의 윤리

1) 소통과 담론의 의미와 필요성
① 소통
　㉠ 막히지 않고 잘 통함
　㉡ 원활한 의사소통은 갈등을 예방하고 서로 협력하며 좋은 관계를 유지할 수 있음

② 담론

　　㉠ 언어로 표현되는 인간의 모든 관계를 분석하는 도구

　　㉡ 현실에서 전개되는 각종 사건과 행위를 해석하고 인식하는 틀을 제공함

　　㉢ 사회 구성원에게 특정한 인식과 가치관으로 현실을 바라보게 하고, 현실을 재구성하게 하는 효과를 지님

2) 동서양의 소통과 담론 윤리

① 공자의 화이부동(和而不同) : 자신의 도덕적 원칙을 지키면서 주변과 조화를 추구함

② 장자의 도(道) : 서로 다른 것을 그 자체로 인정하고 상호 의존 관계를 이해해야 함

③ 원효의 화쟁(和諍) 사상 : 불교의 여러 교설 간의 대립을 해소하기 위해 화쟁을 제시 → 집착과 편견을 버려야 화해와 포용이 가능함

④ 하버마스의 담론 윤리 : 합리적인 대화가 이루어지는 과정을 중시함

　　→ 이상적인 담화의 조건 : 이해 가능성, 진리성, 정당성, 진실성

3) 바람직한 의사소통의 자세

① 편견과 독선의 탈피 : 자기 생각만이 옳다는 독선주의를 경계하고, 관용의 태도를 지녀야 함

② 이상적 대화와 합의 : 다수결의 한계를 보완하기 위해 사회 구성원 간의 심의와 합의가 필요하고, 서로 이해 가능한 언어를 통해 자유롭고 평등하게 발언할 기회를 보장해야 함

02. 민족 통합의 윤리

(1) 통일 문제를 둘러싼 쟁점

1) 통일에 대한 입장

① 찬성 논거

· 이산가족의 고통을 해소

· 전쟁에 대한 공포 해소와 평화를 실현

· 민족의 동질성 회복

· 민족의 경제적 번영과 국제적 위상을 향상
· 동북아시아의 긴장 완화, 세계 평화 기여
② 반대 논거
· 오랜 분단으로 인한 이질감과 불신감
· 군사 도발로 북한에 대한 부정적 인식이 강함
· 통일 비용에 대한 부담
· 북한 주민의 이주로 인한 실업과 범죄 증가에 대한 우려
· 정치 · 군사적 혼란 발생

2) 통일 비용과 분단 비용의 문제

① 분단 비용 : 분단으로 인해 남북한이 부담하는 유 · 무형의 지출 비용 → 군사비, 외교적 경쟁 비용 등
② 통일 비용 : 통일 과정에서 소요되는 경제적 · 경제 외적 비용 → 제도 통합 비용, 위기 관리 비용, 경제적 투자 비용 등
③ 통일 편익 : 통일로 얻을 수 있는 편리함과 이익 → 경제적 편익, 경제 외적 편익

3) 북한 인권 문제

① 북한의 인권 실태
㉠ 주민의 정치 참여와 개인의 자율성, 선택권을 제한함
㉡ 출신 성분에 따라 계층을 분류하고 교육 기회, 법적 처벌 등을 달리함
② 북한 인권과 관련된 쟁점
㉠ **북한 인권 문제 개입 찬성 입장** : 인도적 차원에서 인권의 보편적 원칙에 따라 국제 사회의 개입이 필요함
㉡ **북한 인권 문제 개입 반대 입장** : 북한에 대한 내정 간섭이기 때문에 북한 스스로 해결해야 함

4) 대북 지원 문제

① 대북 지원의 성격
㉠ **인도주의적 측면** : 북한 주민의 생존권 보장
㉡ **민족 당위적 측면** : 민족 공동체 회복
㉢ **실용주의 측면** : 분단 상태를 평화적으로 유지하면서 남북 관계 개선

② 대북 지원과 관련된 쟁점

　　㉠ 인도주의적 입장 : 남북의 정치·군사적 상황과 무관하게 지원해야 함

　　㉡ 상호주의적 입장 : 북한의 일정한 변화를 요구하면서 대북 지원을 해야 함

(2) 통일 한국이 지향해야 할 가치

1) 독일 통일의 교훈

① 독일의 통일 준비 과정 : 분단 상황에서 동독과 서독이 다양한 문화 교류와 협력을 활발하게 이루어 나감

② 독일 통일의 후유증 : 동독과 서독 주민 간의 사회적 갈등 발생 → 내면적·정신적 통합의 어려움

③ 독일 통일의 교훈

　　㉠ 분단 상태에서도 다양한 분야의 점진적이고 활발한 교류를 추진함

　　㉡ 서독이 상대적으로 뒤떨어진 동독을 지원함으로써 관계를 개선함

2) 남북 화해와 통일을 위한 노력

① 개인적 차원

　　㉠ 열린 마음으로 소통하고 배려를 실천해야 함

　　㉡ 북한에 대한 올바르고 균형 있는 인식을 해야 하며 통일에 대한 관심을 가져야 함

② 사회·문화적 차원 : 점진적인 사회 통합의 노력

③ 국제적 차원 : 내부적 통일 기반 조성, 국제적 통일 기반 구축

3) 통일 한국의 미래 모습

① 통일 한국이 지향해야 할 가치 : 평화, 자유, 인권, 정의

② 통일 한국의 미래상

　　㉠ 수준 높은 문화 국가 : 열린 민족주의에 바탕을 두며 우수한 전통 문화를 바탕으로 창조적으로 문화를 발전시켜 세계적인 문화 국가를 추구함

　　㉡ 자주적인 민족 국가

　　　　- 외세 의존적이 아니라 우리의 힘으로 통일 국가를 이룩함

　　　　- 정치·군사·경제·문화적 측면에서 자주성을 실현함

　　㉢ 정의로운 복지 국가 : 사회 구성원들의 삶의 질을 향상시킴 → 불공정한 부의 분배, 집단·계층 간의 사회적 갈등을 해소함

ㄹ **자유로운 민주 국가** : 인간의 존엄성을 최고로 여기며, 자유와 평등, 인권 등의 기본적 권리를 보장함

03. 지구촌의 평화와 윤리

(1) 국제 분쟁의 해결과 평화

1) 국제 관계를 바라보는 관점

	현실주의	이상주의
분쟁 원인	국가의 이익이 도덕성과 충돌할 때 도덕성보다 국가의 이익을 우선함	국가들 간의 오해와 잘못된 제도 때문에 발생함
해결 방안	세력 균형을 통해 가능하다고 봄	국제기구, 국제법, 국제 규범 등의 제도적 개선을 통해서 해결함

2) 국제 평화의 중요성

① 칸트의 영구 평화론

ㄱ 평화에 이르기 위해서는 전쟁을 없애야 함

ㄴ 직접적인 폭력과 전쟁에서 벗어날 수 있도록 각국이 국제법의 적용을 받는 평화 연맹을 구성할 것을 요구함

② 갈퉁의 적극적 평화론

ㄱ **소극적 평화** : 전쟁, 테러, 범죄 등의 직접적 폭력으로부터 해방된 상태

ㄴ **적극적 평화** : 직접적 폭력뿐만 아니라 사회의 구조적 · 문화적 폭력까지 제거되어 인간답게 살아갈 수 있는 삶의 조건이 갖추어진 상태

(2) 국제 사회에 대한 책임과 기여

1) 세계화를 둘러싼 윤리적 쟁점

① 세계화

ㄱ 세계화의 의미 : 국제 사회에서 상호 의존성이 증가하면서 세계가 단일한 사회로 통합되는 현상

ⓛ 세계화의 영향
· 긍정적 영향
– 상호 의존성이 증가되면서 창의성과 효율성 확대를 통해 공동의 번영을 이룰 수 있음
– 다양한 문화 교류를 통해 전 지구적 차원에서 문화 간의 공존을 기대할 수 있음
· 부정적 영향
– 문화의 획일화가 진행될 수 있음
– 강대국이 시장과 자본을 독점하여 국가 간 빈부 격차가 발생함
② 지역화
㉠ 지역화의 의미 : 지역의 전통이나 특성을 살려 다른 지역과 차별화된 경쟁력을 갖추려는 현상
㉡ 지역화의 영향
· 긍정적 영향 : 지역의 이익과 발전을 추구할 수 있음
· 부정적 영향
– 배타성과 폐쇄성으로 인한 갈등 발생
– 인류 전체의 협력과 공동 번영에 걸림돌
– 지구촌 실현이라는 시대정신을 거스르게 됨
③ 글로컬리즘(Glocalism) : 지역의 고유한 문화와 전통을 소중히 여기면서도 세계 시민 의식을 바탕으로 인류의 공존과 화합을 동시에 도모하는 것

2) 국제 정의

	형사적 정의	분배적 정의
의미	범죄에 대한 정당한 처벌을 통해 실현되는 정의	가치나 재화가 공정한 분배를 통해 실현되는 정의
국제 정의를 해치는 문제	전쟁, 테러, 학살, 납치 등 반인도주의적 범죄	국가 간의 빈부 격차, 절대 빈곤 문제 등
해결 노력	국제 형사 재판소, 국제 사법 재판소 등을 두어 반인도주의적 범죄 행위에 대해 처벌함	공적 개발 원조 등을 통해 절대 빈곤국이나 국제기관을 도움으로써 해결함

3) 해외 원조의 윤리적 근거

　① 의무적 관점

　　㉠ 싱어 : 공리주의적 관점에서 인류 전체의 고통을 감소시키고 쾌락을 증진시키
　　　는 것

　　㉡ 롤스 : '고통 받는 사회'를 '질서 정연한 사회'가 되도록 돕는 것

　　　→ 빈곤국의 자생력을 키우는 것이 원조의 주된 목적

　② 자선적 관점 : 노직

　　㉠ 해외 원조를 선의를 베푸는 자선으로 봄

　　㉡ 해외 원조는 자유로운 선택이기 때문에 약소국에 원조를 하지 않는다고 해서
　　　비난할 수 없음

4) 평화로운 지구촌 실현을 위한 방안

　① 개인적 측면 : 후원과 기부에 관심을 갖고 적극적 나눔을 실천함, 원조를 받는 나
　　라들의 자존감과 존엄성을 배려하는 태도를 갖춤

　② 국가적 · 국제적 측면 : 공적 개발 원조(ODA) 등과 같은 제도를 더욱 확충함, 각
　　국가는 자국의 경제적 수준에 부합하는 해외 원조를 윤리적 차원에서 자발적으로
　　실천함

1. 다양한 사회 갈등이 발생하는 원인에 해당하는 것만을 〈보기〉에서 모두 고른 것은?

> ㄱ. 역지사지의 자세
> ㄴ. 경제 이해관계 대립
> ㄷ. 신념이나 가치의 충돌
> ㄹ. 상대방에 대한 왜곡된 정보

① ㄱ, ㄴ   ② ㄷ, ㄹ
③ ㄱ, ㄴ, ㄹ   ④ ㄴ, ㄷ, ㄹ

2. 다음 〈보기〉에서 설명하고 있는 사회 갈등의 유형은?

─── 〈보기〉 ───

> 갑 : 그동안 우리 지역은 근처에 고속 도로가 없어서 많은 불편을 겪어 왔습니다.
> 신설되는 ○○ 고속 도로는 꼭 우리 ㅁㅁ시를 경유해야 합니다.
> 을 : ○○ 고속 도로가 우리 △△시를 경유하면 환경 훼손이 최소화되며, 도로의 직
> 선화가 가능하여 경제적 효과가 극대화됩니다.

① 세대 갈등   ② 이념 갈등
③ 지역 갈등   ④ 노사 갈등

3. 사회 통합을 위한 노력으로 옳지 않은 것은?

① 공정한 절차와 기준을 확립한다.
② 법치주의를 확립하여 공정 사회를 구현한다.
③ 양보와 관용의 정신으로 대화와 토론을 한다.
④ 분배 과정에서 소외되는 사람도 있음을 묵인한다.

4. 다음 〈보기〉의 (　　) 안에 들어갈 말로 적절한 것은?

─── 〈보기〉 ───

> (　　　)(은)는 언어로 표현되는 인간의 모든 관계를 분석하는 도구로, 현실에서
> 전개되는 각종 사건과 행위를 해석하고 인식하는 틀을 제공한다.

① 소통   ② 담론   ③ 아집   ④ 독선

5. 다음 중 하버마스가 주장한 이상적인 담화의 조건이 <u>아닌</u> 것은?

① 진리성   ② 정당성
③ 진실성   ④ 오류성

6. 다음 〈보기〉에서 설명하는 것은?

───〈보기〉───

 남과 사이좋게 지내되 의를 굽혀 좇지는 않는다는 뜻으로, 곧 남과 화목하게 지내지만 자기의 중심과 원칙을 잃지 않는다는 뜻이다.

① 청백리(淸白吏) 사상
② 화쟁(和諍) 사상
③ 화이부동(和而不同)
④ 무위자연(無爲自然)

7. 바람직한 의사소통의 자세로 알맞은 것은?

① 편견과 독선의 자세를 일관되게 유지한다.
② 공적 의사 결정 과정에 적극적으로 참여한다.
③ 이성적으로 대화하기보다는 감정적으로 토론한다.
④ 자신의 오류 가능성을 무시하는 태도를 지닌다.

8. 다음 내용과 관계 깊은 통일의 당위성은?

───〈보기〉───

 분단 상황으로 인하여 남북한은 엄청난 군사비를 부담하고 있으며, 국제무대에서 소모적인 경쟁을 벌이고 있다.

① 민족 문화의 전통을 계승 · 발전
② 이산가족들의 고통과 아픔 해소
③ 이질화를 극복하고 동질성 회복
④ 민족적 역량의 불필요한 낭비 극복

9. 다음 〈보기〉의 (   ) 안에 들어갈 말로 적절한 것은?

─── 〈보기〉 ───

(   )(은)는 분단으로 인해 남북한이 부담하는 유·무형의 지출 비용으로, 군사비, 외교적 경쟁 비용, 이산가족의 고통 등이 이에 해당한다.

① 분단 비용   ② 평화 비용

③ 통일 비용   ④ 통합 비용

10. 남북한 교류와 협력의 바람직한 방향만을 〈보기〉에서 모두 고른 것은?

─── 〈보기〉 ───

ㄱ. 상호 신뢰 회복

ㄴ. 남북한 상호 호혜적인 관계 형성

ㄷ. 급진적이고 단기적인 교류와 협력

ㄹ. 남한의 체제 우월성을 바탕으로 문화 전파

① ㄱ, ㄴ   ② ㄴ, ㄹ

③ ㄱ, ㄷ   ④ ㄷ, ㄹ

11. 통일 후에도 완전한 통합이 이루어지지 않은 독일을 볼 때 통일의 후유증을 최소화하고 실질적인 사회 통합을 위해 남북한이 우선적으로 해야 할 일은?

① 우방국과의 관계 개선

② 군비 축소와 주한 미군 철수

③ 정치 제도와 체제 통합의 노력

④ 문화·예술·스포츠 분야의 교류

12. 다음에서 공통으로 설명하는 것은?

· 다른 민족에 대해 개방적 태도를 갖는다.

· 열린 공동체 의식을 근거로 한 민족 정체성을 중시한다.

· 인류의 보편적 가치를 추구하며 민족의 번영을 도모한다.

① 열린 민족주의   ② 배타적 민족주의

③ 닫힌 민족주의   ④ 자문화 중심주의

13. 다음 중 통일 한국이 지향해야 할 가치로 옳지 <u>않은</u> 것은?

① 평화   ② 자유

③ 정의   ④ 배척

14. 통일 한국의 미래상으로 적절하지 <u>않은</u> 것은?

① 자주적인 민족 국가

② 자유로운 민주 사회

③ 정의로운 복지 사회

④ 계급 없는 공산 사회

15. 다음에서 설명하는 국제 관계 이론은?

> · 군사력의 증강과 동맹을 통해 국가 간의 갈등을 억제한다.
> · 국가 안보와 자력 구제, 국가 간의 세력 균형을 강조한다.

① 이상주의   ② 중립주의

③ 현실주의   ④ 연합주의

16. 다음에서 설명하는 현대 사회의 변화 추세는?

> · 주권 국가의 기능 약화
> · 상호 의존성의 증가
> · 이질적인 문화의 공존

① 분권화   ② 지방화

③ 세계화   ④ 개인화

17. 적극적 평화에 대한 설명으로 옳지 <u>않은</u> 것은?

① 전쟁이나 물리적인 폭력만이 없는 상태이다.
② 집단 간의 편견을 감소시켜 공동의 이익을 얻을 수 있게 한다.
③ 국민들의 인권, 자유, 평등이 실질적으로 실현되는 환경을 형성한다.
④ 빈곤, 경제적 착취, 사회적 차별 등을 없앰으로써 실현할 수 있다.

18. 국제 분쟁을 해결하는 자세로 바람직한 것은?

① 자국 문화의 우월성을 강조한다.
② 자국의 이익을 최우선으로 추구한다.
③ 선진국의 입장에서 문제를 해결한다.
④ 약소국의 여건 개선을 위한 제도를 마련한다.

19. 다음과 같은 현상과 관련된 국제 정의는?

> · 영양실조로 고통받는 어린이 2억 명
> · 가난과 질병으로 사망하는 5세 이하 어린이 8천8백만 명

① 형사적 정의　　　　　　② 분배적 정의
③ 절차적 정의　　　　　　④ 법적 정의

20. 〈보기〉의 사상가가 주장하는 원조의 관점은?

> ───────〈보기〉───────
> 　　우리는 모든 사람들의 이익을 동등하게 고려해야 하므로, 가난과 기아에 시달리는 전 세계의 사람들에게 원조를 해야 한다. 원조의 목적은 인류 전체의 이익을 증진시키는 것이다.

① 자선적 관점
② 의무적 관점
③ 보답적 관점
④ 자비적 관점

실전모의고사
1, 2회 풀어보기

1. 다음 내용들을 모두 포괄할 수 있는 윤리적 개념은?

> · 환경 윤리   · 생명 윤리   · 정보 윤리

① 이론 윤리학   ② 실천 윤리학
③ 메타 윤리학   ④ 기술 윤리학

2. 다음과 같은 삶의 태도를 중시하는 동양 사상은?

> 무위자연(無爲自然)이란 인간이 인위적인 가식과 위선에서 벗어나 본래의 모습으로 살아가는 것이다.

① 도가   ② 유가
③ 법가   ④ 묵가

3. 다음과 관계 깊은 동양의 사상은?

> · 대표적인 사상가 : 공자
> · 이상적인 사회 : 대동 사회
> · 이상적인 인간상 : 군자(君子)

① 유교   ② 도교
③ 불교   ④ 동학

4. 다음 이론과 거리가 <u>먼</u> 사상가는?

> 국가가 없는 자연 상태는 위험하거나 불안정하다. 따라서 사람들은 생명과 안전, 재산을 보호하기 위해 자연권의 일부나 전부를 국가에 양도 혹은 위임하기로 서로 합의하여 국가를 만들었다.

① 로크   ② 프롬
③ 홉스   ④ 루소

5. 다음 사례에서 나타난 갈등의 유형은?

> 우리나라에서는 유교 전통에 따라 웃어른에 대한 존경심을 중시하는 어른들과, 개인의 자유와 권리에 대한 가치를 중시하는 젊은 사람들 사이에 갈등이 나타나고 있다.

① 노사 갈등   ② 빈부 갈등
③ 세대 갈등   ④ 지역 갈등

6. 다음에서 설명하고 있는 사상가는?

> 학문을 이론 학문과 실천 학문으로 분류하였고, 인간에게 있어 최고선은 행복이며, 행복은 중용의 덕을 통해 실현된다고 강조하였다.

① 소크라테스   ② 에피쿠로스
③ 플라톤   ④ 아리스토텔레스

7. 시민 불복종의 정당화 조건에 대한 설명으로 옳지 <u>않은</u> 것은?

① 비폭력이어야 한다.
② 최후의 수단이어야 한다.
③ 행위의 목적이 정당해야 한다.
④ 자신에게 불리한 정책에 무조건 저항해야 한다.

8. 다음 〈보기〉에서 설명하는 인간관계에서 지켜야 할 덕목은?

> ─── 〈보기〉 ───
> · 같은 기운을 받고 태어난 사이
> · 사람의 손과 발처럼 서로 돌보며 대접해야 하는 사이

① 부자자효(父慈子孝)   ② 군신유의(君臣有義)
③ 부자유친(父子有親)   ④ 형우제공(兄友弟恭)

9. 다음 롤스(Rawls, J.)의 주장에서 밑줄 친 부분과 가장 관계가 깊은 것은?

> 사회적 · 경제적 불평등은 <u>최소 수혜자에게 최대의 이익을 보장</u>하되, 후세를 위한 절약의 원칙에 위배되지 않도록 조정되어야 한다.

① 참정권의 보장   ② 빈부 격차의 확대
③ 장애인 복지의 확대   ④ 기본적 자유의 보장

10. 다음에서 설명하고 있는 개념으로 가장 적절한 것은?

> 인터넷, 휴대전화 등 정보기기를 이용해 특정인을 대상으로 지속적, 반복적으로 심리적 공격을 가하거나, 특정인과 관련된 개인 정보 또는 허위 사실을 유포해 상대방이 고통을 느끼도록 하는 일체의 행위를 말한다.

① 사이버 불링   ② 탈억제 효과
③ 인터넷 리터러시   ④ 사이버 해킹

11. 남북 분단을 극복하기 위한 방안으로 옳지 <u>않은</u> 것은?

① 남북한 문화가 공존하고 있다는 사실 인정
② 체제의 우월성에 바탕을 둔 무력통일 추진
③ 상호동질성의 정도에 따라 단계적 교류 추진
④ 남북한 사회 · 문화적 교류는 쉬운 것에서부터 시작

12. 하버마스가 제시한 이상적 담화 조건으로 적절하지 <u>않은</u> 것은?

① 진리성
② 정당성
③ 이해 가능성
④ 전파성

13. 다음 중 안락사 반대의 입장으로 옳은 것은?

　　① 환자의 삶의 질과 자율성을 강조한다.
　　② 삶과 죽음은 인간이 선택할 수 없는 문제이다.
　　③ 과다한 치료비는 가족에게 경제적으로 큰 부담이 된다.
　　④ 무의미한 연명 치료는 환자에게 심리적, 신체적으로 큰 고통이다.

14. 〈보기〉에서 적용하고 있는 분배의 기준으로 적절한 것은?

---〈보기〉---

　A : 어떤 기준으로 장학금을 지급할까요?
　B : 어려운 가정 형편 때문에 학업을 계속하기 힘들어 경제적 지원이 절실한 학생
　　　들에게 장학금을 주어야 한다고 생각합니다.

　　① 절대적 평등에 따른 분배
　　② 업적에 따른 분배
　　③ 능력에 따른 분배
　　④ 필요에 따른 분배

15. 다음 중 도덕주의에 대한 설명으로 옳은 것은?

　　① 예술을 위한 예술을 추구해야 한다.
　　② 예술과 윤리는 상호 독립적이다.
　　③ 예술은 도덕적 교훈을 제공해야 한다.
　　④ 예술의 자율성을 강조한다.

16. 다음 중 니부어의 관점에 대한 설명으로 옳지 <u>않은</u> 것은?

　　① 집단의 도덕성은 개인의 도덕성보다 현저히 떨어진다.
　　② 사회 문제 해결을 위해 사회 제도의 개선이 필요하다.
　　③ 개인의 선한 의지, 양심만으로 문제를 해결할 수 있다.
　　④ 정치적 강제력의 필요성을 강조하고 있다.

17. 다음 〈보기〉에서 설명하고 있는 사이버 공간의 특징은?

─── 〈보기〉 ───

이런 말을 해도 내가 누군지 모를거야.

① 익명성
② 집단 행동의 논리
③ 접속의 일회성
④ 다중 정체성

18. 다음 ㉠의 사례로 적절한 것을 〈보기〉에서 고른 것은?

소극적 평화는 직접적 폭력이 없는 상태를 뜻한다. 반면 적극적 평화는 직접적 폭력은 물론 ㉠ 간접적 폭력도 사라져 인간다운 삶을 누릴 수 있는 상태를 뜻한다.

─── 〈보기〉 ───

ㄱ. 범죄   ㄴ. 테러   ㄷ. 가난   ㄹ. 차별

① ㄱ, ㄴ   ② ㄱ, ㄷ
③ ㄴ, ㄹ   ④ ㄷ, ㄹ

19. 다음 〈보기〉에서 정보 통신 윤리 확립을 위한 바른 자세를 모두 고른 것은?

─── 〈보기〉 ───

ㄱ. 개인의 정보를 모든 사람들에게 제공한다.
ㄴ. 타인의 지적 재산권을 보호하고 존중한다.
ㄷ. 타인의 인권과 사생활을 존중하고 보호한다.
ㄹ. 사이버 공간에 대한 자율적 감시에 적극 참여한다.

① ㄱ, ㄴ   ② ㄴ, ㄷ
③ ㄴ, ㄷ, ㄹ   ④ ㄱ, ㄴ, ㄷ, ㄹ

20. 다음 중 ㉠에 들어갈 사상가는?

> (㉠)은(는) 기존의 윤리가 인간 삶의 전 지구적 조건과 미래, 즉 인류의 존속이라는 문제를 진지하게 고려하지 않는다고 비판하며, 과학 기술의 발전과 그것을 따라가지 못하는 윤리와의 간극을 윤리적 공백이라 불렀다.

① 요나스   ② 아리스토텔레스
③ 플라톤   ④ 아퀴나스

21. 다음 주장에 해당하는 사상으로 가장 적절한 것은?

> 임금은 임금답고, 신하는 신하답고, 부모는 부모답고, 자식은 자식다워야 한다.(君君, 臣臣, 父父, 子子)

① 경애(敬愛)   ② 정명(正名)
③ 양지(養志)   ④ 음양론(陰陽論)

22. 다음 중 ㉠에 들어갈 말로 알맞은 것은?

> 원효는 (㉠)을/를 통해 모든 이론과 종파의 특수성과 상대적 가치를 인정하면서 전체로서 조화를 시키고자 하였는데 이는 다양성을 인정하면서 더 높은 차원의 통합을 추구한 것이다.

① 화이부동(和而不同)
② 제물(濟物)
③ 화쟁(和諍)
④ 극기복례(克己復禮)

23. 다음 〈보기〉에서 설명하고 있는 바람직한 통일 한국의 모습은?

〈보기〉

특정 계급이나 정파가 아닌 국민의 의사에 따라 국가의 모든 정책이 결정되는 국가

① 평화 번영 국가
② 창조적인 문화 국가
③ 선진 민주 국가
④ 경제적으로 풍요로운 국가

24. 다음에서 설명하고 있는 음식문화 운동은?

비만 등을 유발하는 패스트 푸드 문제를 해결하고자 가공하지 않고 사람의 손맛이 들어간 음식, 자연적인 숙성이나 발효를 거친 음식 등 전통적인 방식으로 만든 음식을 섭취하자는 운동

① 슬로 푸드(slow food) 운동
② 음식 정의 운동
③ 정크 푸드 운동
④ 100마일 다이어트 운동

25. 다음 글에서 밑줄 친 그는?

그는 '아는 것이 힘이다' 는 말을 강조하며, 『새로운 아틀란티스』에서 화약과 나침반, 인쇄기의 발명을 통한 과학 이상 사회를 묘사하다.

① 벤담   ② 칸트
③ 베이컨   ④ 하이데거

1. (가), (나)에 해당하는 분야의 응용 윤리를 바르게 연결한 것은?

> (가) 지구 온난화, 오존층 파괴, 사막화 등의 문제
> (나) 사이버 공간에서의 인권 침해 문제나 표현의 자유 문제

	(가)	(나)		(가)	(나)
①	환경 윤리	정보 윤리	②	성 윤리	환경 윤리
③	사회 윤리	성 윤리	④	정보 윤리	사회 윤리

2. 다음에서 설명하는 불교의 이상적 인간상을 일컫는 말은?

> · 부처의 바른 깨달음을 추구하며 지혜를 얻은 사람
> · 중생을 구제하기 위해 노력하며 자비를 실천하는 사람

① 보살(菩薩)　　② 성인(聖人)　　③ 신선(神仙)　　④ 천주(天主)

3. 다음 사상가와 주장이 바르게 연결되지 <u>않은</u> 것은?

① 맹자 : 성선설
② 노자 : 무위자연
③ 칸트 : 최대 다수의 최대 행복
④ 아리스토텔레스 : 도덕적인 습관의 중시

4. 다음의 국가 기원설을 주장한 사상가는?

> · 인간은 본성적으로 사회·정치적 존재이므로 국가의 발생도 자연스러운 것이다.
> · 국가는 시민 유대감과 행복한 삶을 위해 존재하는 것이다.

① 칸트　　　　　　　　② 니체
③ 마르크스　　　　　　④ 아리스토텔레스

5. 다음에서 강조하는 도덕 자세는?

> 어떤 문제에 대해 타인과 의견이 대립되는 상황에서는 의견 차이를 좁히고 서로에게 도움이 되는 방향으로 노력해야 한다. 이런 과정에서 서로 상대방의 의견을 존중하는 마음가짐이 우선시되어야 한다.

① 비판   ② 관용
③ 복종   ④ 강요

6. 다음 도덕 판단에 들어갈 말로 가장 알맞은 것은?

> · 도덕원리 : 수업을 방해하는 행동을 해서는 안 된다.
> · 사실판단 : 수업시간에 장난을 치는 행동은 수업을 방해하는 행동이다.
> · 도덕판단 : (   )

① 수업시간에 장난치는 행동을 해서는 안 된다.
② 수업시간 이외의 시간에는 장난을 해도 된다.
③ 장난을 치는 것도 모두 공중도덕을 지켜야 한다.
④ 장난을 치는 것은 공부에 전혀 도움이 안 된다.

7. 다음 〈보기〉와 관련된 개념은?

─── 〈보기〉 ───
> 기술은 그 자체로 선하지도 악하지도 않은 수단이다. 선악은 인간이 기술로부터 무엇을 만들고, 무엇을 위하여 쓰느냐에 달려 있다.

① 과학 기술의 가치 중립성
② 과학 기술의 가치 개입성
③ 과학 기술의 가치 부정성
④ 과학 기술의 가치 맹목성

8. 다음 〈보기〉의 내용을 주장한 사상가는?

――――― 〈보기〉 ―――――

　　인간은 도와줄 수 있는 모든 생명을 도와주라는 명령에 따르고, 살아 있는 것은 어떤 것이든 해치지 않을 때에만 진정으로 윤리적이 된다. 생명은 생명 그 자체로서 인간에게 신성한 것이다.

① 싱어　　　　　　　　　　② 칸트
③ 슈바이처　　　　　　　　④ 레오폴드

9. 다음 〈보기〉에 해당하는 소비 형태는?

――――― 〈보기〉 ―――――

· 제 3세계의 경제적 자립을 돕는 제품을 적극적으로 구매한다.
· 재활용 제품 구매와 지속적 사용을 통해 환경오염을 줄인다.

① 합리적 소비　　　　　　② 모방 소비
③ 동조 소비　　　　　　　④ 윤리적 소비

10. 다음 〈보기〉에서 설명하는 인권의 특성은?

――――― 〈보기〉 ―――――

　　인종, 피부색, 성별, 언어, 종교, 정치적 의견, 신분, 재산, 지적 수준 등의 어떤 이유와도 상관없이 모든 인간이 동등한 권리를 누려야 한다는 것이다.

① 역사성　　　　　　　　　② 절대성
③ 보편성　　　　　　　　　④ 항구성

11. 과학 기술이 인류에게 가져다 준 성과로 볼 수 <u>없는</u> 것은?

① 다양한 매체의 발달로 대중문화의 발달을 가져왔다.
② 각종 질병을 극복하고 인간의 수명을 늘리게 되었다.
③ 인터넷을 통해 은행 업무도 보고 물건도 구입할 수 있게 되었다.
④ 정보통신 기술의 발달로 감시 카메라 등을 이용해 사람을 효율적으로 감시하고 통제할 수 있게 되었다.

12. 다음 중 롤스의 정의론에서 주장한 내용이 <u>아닌</u> 것은?

① 사회 정의의 기준이 절차적 공정성이 되어야 한다.
② 모든 사람은 기본적 자유에서 평등한 권리를 가져야 한다.
③ 사회적 · 경제적 불평등은 최소 수혜자에게 최대 이익이 보장되어야 한다.
④ 사회 구성원 간의 차이를 고려하지 않고 모든 사람에게 동일하게 분배하는 것이다.

13. 다음 내용에서 공통적으로 강조한 개념은?

> · 부패를 멀리하고 맡은 직무를 성심껏 처리하겠다는 공직자의 자세를 의미한다.
> · 우리나라에서는 '부패방지 및 국민권익위원회 설치와 운영에 관한 법률'을 제정하여 공직자들에게 의무를 강조하고 있다.

① 충성　　　　② 청렴　　　　③ 청탁　　　　④ 성실

14. 다음 (　)에 들어갈 말은?

> 책임 윤리를 제창한 요나스는 과학 기술의 발달과 그것을 따라가지 못하는 윤리와의 간극을 (　　　)(이)라고 불렀다.

① 숙고적 공백　　　　　　　② 보완적 윤리
③ 개방적 윤리　　　　　　　④ 윤리적 공백

15. 다음 중 예술의 상업화와 관련된 문제점이 <u>아닌</u> 것은?

　① 이윤 추구만을 부추기기 쉽다.
　② 본질적 가치가 약화되기 쉽다.
　③ 대중적 관심이 줄어들게 만든다.
　④ 감각적 자극을 지나치게 유발한다.

16. 다음 중 뉴미디어의 특징이 <u>아닌</u> 것은?

　① 비동시화
　② 종합화
　③ 일방화
　④ 상호작용화

17. 다음은 어떤 학생의 책상에 부착되어 있는 메모장이다. 메모장의 내용과 가장 관계 깊은 것은?

> ·증자 : 일일삼성(一日三省)
> ·소크라테스 : 숙고하지 않는 삶은 가치가 없다.

　① 이성적 사고
　② 성찰하는 자세
　③ 도덕적 지식
　④ 학문적 성취

18. 분단 비용에 해당하는 것은?

　① 대북 지원 비용
　② 남북 경제 협력 비용
　③ 제도 통합 비용
　④ 외교적 경쟁 비용

19. 니부어(R. Niebuhr)의 윤리 사상으로 바르게 선택한 학생은?

주장	갑	을	병	정
개인의 도덕성만으로 사회 문제를 해결할 수 없다.	∨	∨		
개인의 도덕성보다 사회의 도덕성이 높다.			∨	∨
사회 제도나 정책의 개선이 필요하다.	∨		∨	∨
정치적 강제성이 사용된다.	∨	∨		∨

① 갑   ② 을   ③ 병   ④ 정

20. 다음 중 의무론에 대한 설명으로 옳은 것은?

① 최대 다수의 최대 행복을 도덕원리로 제시한다.

② 행위자의 품성을 강조한다.

③ 결과보다 동기를 우선한다.

④ 공동체적인 삶을 강조한다.

21. 다음 중 싱어의 동물 중심주의에 대한 설명으로 옳은 것은?

① 무생물까지도 도덕적 고려의 대상으로 본다.

② 자연은 인간을 위한 기계에 불과하다고 본다.

③ 감정을 지닌 동물까지 도덕적 고려의 대상으로 본다.

④ 동물은 신의 섭리에 따라 인간이 사용하도록 운명 지어졌다.

22. 다음 중 사형 폐지론의 주장에 해당하는 것만을 모두 고른 것은?

> ㉠ 유해한 범죄인을 사회로부터 격리시킬 필요가 있다.
> ㉡ 사형은 범죄예방에 대한 위협적 효과를 지니지 못한다.
> ㉢ 오판의 가능성이 있는 판결에 대하여 원상회복이 불가능하다.
> ㉣ 정치적 반대 세력에 대한 탄압의 도구로 이용된다.

① ㉠, ㉡   ② ㉢, ㉣

③ ㉠, ㉡, ㉢   ④ ㉡, ㉢, ㉣

23. 다음 〈보기〉에서 설명하는 예술의 관점은?

---〈보기〉---

"예술의 진정한 가치는 건강한 개인과 건강한 사회에 이바지하는 도덕적 측면에서 찾을 수 있다."

① 심미주의   ② 도덕주의
③ 절대주의   ④ 상대주의

24. 통일 한국이 지향해야 할 가치가 <u>아닌</u> 것은?

① 정복   ② 자유
③ 인권   ④ 정의

25. 다음 〈보기〉에서 설명하는 국제 관계 이론은?

---〈보기〉---

· 국제 분쟁은 국가 간의 오해나 잘못된 제도로 인해 생겨난다.
· 국제기구나 국제법과 같은 제도적 개선을 통해 평화를 달성할 수 있다.

① 현실주의   ② 이상주의
③ 관계주의   ④ 상호주의

정답 및 해설

단원별확인문제
실전모의고사 1, 2

01. 현대의 삶과 실천 윤리

1. ③	2. ④	3. ②	4. ③	5. ④
6. ①	7. ②	8. ③	9. ①	10. ②
11. ④	12. ①	13. ③	14. ②	15. ③
16. ③	17. ④	18. ②	19. ①	20. ①

1. ㄴ. 생명 윤리, ㄷ. 환경 윤리는 실천 윤리학에 해당한다.

2. ① 북한 이탈 주민의 사회 정착은 평화 윤리, ② 사생활 침해 문제는 정보 윤리, ③ 예술의 상업화 문제는 문화 윤리에 해당한다.

4. ㄴ. 연기설은 불교, ㄷ. 무위자연은 도가의 내용이다.

5. 오륜(五倫)은 군신유의(君臣有義), 부자유친(父子有親), 장유유서(長幼有序), 부부유별(夫婦有別), 붕우유신(朋友有信)이다. ④ 살생유택(殺生有擇)은 세속 5계에 해당한다.

6. 유교에서는 모두가 더불어 잘 사는 대동사회(大同社會)를 이상 사회로 제시한다.

7. 연기설(緣起說)은 모든 존재와 현상에는 원인(因)과 조건(緣)이 있다는 것을 의미한다. 모든 것이 상호 관계 속에서만 존재한다는 연기의 법칙을 깨닫게 되면 자기가 소중하듯 남도 소중하다는 자비(慈悲)의 마음이 저절로 생길 뿐만 아니라 고통의 원인인 탐욕에서도 벗어날 수 있다.

8. ①은 유교, ②, ④는 도가의 내용이다.

11. 도가에서는 무위의 다스림이 이루어지는 소국과민(小國寡民)을 이상 사회로 제시한다.

12. 의무론에서는 도덕성을 판단할 때 행위의 결과보다는 동기를 중시한다. ② 공리주의, ③ 책임 윤리, ④ 덕윤리의 특징이다.

13. 의무론을 대표하는 칸트는 윤리적 의사 결정은 행위로 인한 결과를 고려해서 행해져서는 안 되며, 보편타당한 법칙을 무조건 의무 의식으로 따라야 한다고 보았다.

14. 공리주의의 기본 관심은 유용성의 추구이다. 공리주의는 윤리적 의사 결정을 할 때 항상 더 많은 유용성을 산출할 대안을 찾는다.

15. 덕윤리는 행위자 개인의 품성에 관심을 갖는다. 덕윤리는 윤리적으로 옳고 선한 결정을 하려면 먼저 유덕한 품성을 길러야 한다고 주장한다. ③ 공리의 원칙을 강조하는 것은 공리주의이다.

16. 비판적 사고는 어떤 주장을 그대로 받아들이는 것이 아니라 주장의 근거와 그 적절성을 따져 보는 것이다. 일반적으로 비판적 사고는 논리적 사고와 합리적 사고를 포괄하는 특징이 있다.

17. ④ 정보의 사실과 의견을 판별하는 능력은 비판적 사고에 해당한다.

18. 원리 근거 : 개인의 사생활을 침해하는 것은(A) 옳지 않다.(B) → 사실 근거 : CCTV를 많이 설치하면(C) 개인의 사생활을 침해한다.(A) → 도덕 판단 : CCTV를 많이 설치하는 것은(C) 옳지 않다.(B)

19. 〈보기〉는 역할 교환 검사 방법에 대한 설명이다. 역할 교환 검사 방법은 상대방의 입장에서 받아들일 수 있는지를 검사하는 방법이다.

20. 윤리적 성찰이란 생활 속에서 자신의 마음가짐, 행동 또는 그 속에 담긴 자신의 정체성과 가치관에 관하여 윤리적 관점에서 깊이 있게 반성하고 살피는 태도이다.

1. ①	2. ③	3. ②	4. ③	5. ②
6. ④	7. ②	8. ③	9. ④	10. ③
11. ④	12. ①	13. ③	14. ③	15. ①
16. ①	17. ②	18. ③	19. ④	20. ④

2. 죽음의 특징은 보편성, 불가피성, 일회성, 비가역성이 해당된다.

3. 〈보기〉는 에피쿠로스의 죽음관이다. 에피쿠로스는 인간은 죽음을 경험하지도, 인식할 수도 없기 때문에 현세에서 죽음에 대해 두려워할 필요가 없다고 보았다.

4. 인공 임신 중절에 대해 반대하는 입장에서는 태아의 생명권을 옹호하기 때문에 수정된 순간부터 태아도 인간으로서 인간 존엄성과 생명권을 존중받아야 한다고 주장한다.

5. ①, ③, ④ 안락사 반대의 논거이다.

6. 뇌사를 찬성하는 입장에서는 뇌사자의 장기로 다른 생명을 구할 수 있고, 뇌사자도 존엄하게 죽을 권리를 존중해야 한다고 주장한다.

7. 인체실험은 피험자의 생명을 가장 우선 시 해야 하며 피험자에게 실험에 대한 충분한 정보를 제공한 후 피험자의 자발적인 동의를 통해 이루어져야 한다.

8. ③ 배아를 인간 생명이 아닌 단순한 치료 수단으로만 이용하는 것은 배아 복제의 문제점이다.

9. ④ 우수한 품종 개발이 가능하다는 것은 동물 실험을 찬성하는 입장이다.

11. ④ 프롬은 진정한 사랑이란 상대방을 있는 그대로 인정하는 것이라고 봄으로써, 상대방이 자신의 소유가 아니라고 주장한다.

12. ② 중도주의는 사랑이 있는 성적 관계는 옳고 사랑이 없는 성은 도덕적으로 그르다고 보았다. ③ 자유주의는 타인에게 해악을 주지 않는 범위 내에서 자발적 동의에 따른 성적 자유를 허용해야 한다고 보았다.

13. 성의 자기 결정권은 인간의 존엄성과 행복 추구를 위한 권리이다. 성의 자기 결정권의 행사는 타인의 권리를 침해하거나 자신의 인격을 손상시키지 않는 범위 내에서 이루어져야 한다.

15. 〈보기〉는 성 상품화의 문제점이다. 성 상품화란 인간의 성을 직·간접적으로 이용해 이윤을 추구하는 것이다.

16. ㄷ은 형제 관계, ㄹ은 부자 관계에서 지켜야 할 규범이다.

18. ③ 봉양이란 부모를 물질적으로 잘 모시는 것이다.

19. ④ 형제자매는 같은 기운을 받고 태어나고 자란 사이로 동기간(同氣間)이라고 한다.

20. ① 부자유친은 부모와 자식 관계, ② 부부유별은 부부 관계, ③ 붕우유신은 친구 관계를 말한다.

1. ④	2. ①	3. ②	4. ①	5. ③
6. ④	7. ②	8. ③	9. ①	10. ④
11. ①	12. ③	13. ④	14. ④	15. ③
16. ①	17. ④	18. ②	19. ②	20. ③

1. 맹자는 도덕적 삶을 지속하기 위해 경제적 안정을 위한 일정한 생업이 필요하다고 주장하였다.

2. 공자는 자신의 직분에 충실하는 정명(正名)을 강조하였다.

3. 종교 개혁자 칼뱅이 '신으로부터 부름 받은 자기 몫의 일'이라고 보면서 자신의 직업에 충실히 임하는 것이 바로 신의 명령에 따르는 것이라고 주장하였다.

4. ① 기업은 공정한 이윤 추구를 해야 한다.

6. 노블레스 오블리주(noblesse oblige)는 사회적 고위층이나 고위 공직자에게 요구되는 높은 수준의 도덕적 의무이다. 일반 국민보다 더 많은 권력과 힘을 지닌 사회 지도층에게 도덕적 솔선수범을 요청하는 개념이 바로 노블레스 오블리주이다.

7. 니부어는 도덕적인 인간으로 구성된 사회라 할지라도 그 사회는 비도덕적일 수 있다고 보면서 복잡한 사회 문제를 해결하기 위해서는 개인의 선한 양심, 도덕성, 윤리 의식에만 호소해서는 안 되며 사회 구조나 제도, 정책의 개선을 통해 해결되어야 한다고 강조하였다.

9. 노직은 개인의 소유권을 침해하지 않고, 개인의 권리를 보호하는 역할만을 수행하는 최소 국가를 정당하다고 주장하였다.

10. ④ 능력에 따라 일하고 필요에 따라 분배하는 것은 마르크스의 주장이다.

11. 차등의 원칙은 사회적 약자에 대한 사회적 책임의 중요성을 반영한 것이다. 이 원칙에 따르면 사회·경제적 불평등은 그것이 최소 수혜자에게 최대의 이익을 가져오는 경우에만 정당화될 수 있다.

12. ①, ②, ④는 우대 정책 반대 논거에 해당한다.

13. ①, ②, ③은 사형을 찬성하는 입장이고, ④는 반대하는 입장이다.

14. ④는 사형 찬성 논거에 해당한다.

16. 아리스토텔레스는 인간은 본성적으로 정치적 존재이며, 정치 공동체 속에서만 최선의 삶이 가능하다고 보았다.

18. 홉스는 국가는 만인의 만인에 대한 투쟁 상태에 놓인 사람들의 생명과 재산을 보호하고 사회 질서를 형성해야 한다고 주장하였다.

19. 시민 불복종은 부정의한 법과 정책에 대한 시민들의 의도적 위법 행위이다.

20. 시민 불복종의 정당화 조건은 공익성, 공개성, 비폭력성, 최후의 수단, 처벌 감수 등이 있다.

04. 과학과 윤리

1. ②	2. ①	3. ③	4. ②	5. ④
6. ①	7. ③	8. ②	9. ③	10. ①
11. ③	12. ②	13. ④	14. ④	15. ③
16. ①	17. ④	18. ②	19. ③	20. ①

1. 과학 기술은 자연을 도구적 가치로 바라보게 함으로써 환경 위기를 초래하기도 하였다. 자연을 인간의 이익을 위해 변형하고 이용할 수 있는 대상으로 바라보는 관점은 자원 고갈과 환경 파괴의 직접적인 원인이 되었다고 할 수 있다.

2. 과학 기술의 가치 중립성을 인정하는 입장에서는 과학 기술 그 자체를 가치 중립적이라고 보고, 자유롭게 발전할 수 있도록 간섭해서는 안 되며, 이러한 과학 기술에 대한 도덕적 평가와 비판을 유보해야 한다고 본다.

3. 과학 기술 지상주의는 과학 기술의 유용성이라는 긍정적 측면을 강조하고, 과학 기술이 무한한 부와 당면한 모든 문제를 해결할 수 있다고 본다.

4. 요나스는 기술을 통한 인류의 진보라는 기술 유토피아를 비판하며, 새로운 책임 윤리를 인류에게 제시하고 있다.

5. 〈보기〉는 정보 공유론에 대한 설명이다. 정보 공유론은 정보는 인류 공동의 자산으로 보고, 지적 재산권을 불인정한다. ①, ②, ③은 정보 사유론에 해당한다.

6. ① 정보 사회에서는 일의 효율성은 향상된다.

8. ② 정보화로 인해 인간 소외가 가속화될 수 있다.

10. 사이버 불링이란 정보 통신 매체를 이용해 특정인에게 지속적·반복적으로 심리적 공격을 가하거나, 특정인과 관련된 개인 정보 또는 허위 사실을 유포해 상대방이 고통을 느끼도록 하는 일체의 행위이다.

11. 인격권이란 인간의 존엄성에 바탕을 둔 사적 권리로, 자신의 성명을 사용하는 것에 관한 성명권, 자신의 초상에 관한 독점적인 초상권, 저작자가 자신의 저작에 관해 갖는 저작 인격권, 자신의 사적 생활이 공개되거나 침해당하지 않을 사생활권 등이 인격권에 해당한다.

12. 잊힐 권리란 개인 정보를 비롯해 자신이 원하지 않는 민감한 정보들이 포털 사이트 등을 통해 많은 사람들에게 공개되지 않도록 정보를 통제할 수 있는 권리이다.

13. 뉴미디어는 송수신자 간 쌍방향 정보 교환이 가능하고, 송수신자 간 원하는 시간에 정보를 볼 수 있다. 대규모 집단에 획일적 메시지를 전달하는 방식에서 벗어나 특정 대상과 특정 정보를 상호 교환할 수 있고, 이용자가 더욱 능동적으로 정보에 접근할 수 있다. 또한 모든 정보를 디지털화함으로써 정보를 신속하고 정확하게 처리할 수 있다.

14. 베이컨은 자연을 인간의 이익을 위해 봉사하는 노예에 비유함으로써, 인간은 자연을 이용해 풍요로운 삶을 영위해야 한다고 본다.

15. 레건은 의무론의 관점에서 동물도 삶의 주체로서 도덕적 권리를 가지고 있다고 주장한다. ①은 생명 중심주의, ②는 인간 중심주의, ④는 생태 중심주의이다.

16. 슈바이처는 생명을 살리는 것이 유일한 선이고, 생명을 죽이는 것이 유일한 악이라고 보고, 도덕 원리의 근본을 생명에 대한 외경에 둔다. 또한 생명은 그 자체로 선이며, 내재적 가치를 지닌다고 본다.

17. 테일러가 주장한 불간섭의 의무에 의하면, 인간은 전 생태계의 진행 과정에 간섭하지 않는 정책을 추진해야 한다.

18. 생태 중심주의 입장인 레오폴드는 도덕 공동체의 범위를 동물, 식물, 흙, 물 등을 비롯한 대지까지 확장하고, 이러한 대지 공동체를 생명 공동체로 여긴다.

19. 도가에서는 인간의 인위적인 힘이나 조작이 더해지지 않은 자연 그대로의 상태, 즉 무위자연을 추구하며 인간의 의지나 욕구와 상관없이 존재하는 자연의 가치와 아름다움을 강조하였다.

20. 지속 가능한 발전이란 현세대의 필요와 욕구를 충족시키면서도 미래 세대의 욕구와 필요를 충족시킬 수 있는 해결책으로 등장한 것이다. 이는 인간과 자연이 더불어 살아갈 수 있는 지혜를 제공하며 경제 성장과 환경 보전의 조화와 양립을 강조한다는 점에서 그 의의를 찾을 수 있다.

05. 문화와 윤리

1. ②	2. ③	3. ①	4. ②	5. ④
6. ①	7. ④	8. ②	9. ③	10. ④
11. ③	12. ④	13. ②	14. ③	15. ④
16. ②	17. ③	18. ④	19. ①	20. ①

1. 예술은 미적 가치를 추구하는 인간의 활동이다.

2. 도덕주의는 미적 가치보다 도덕적 가치가 더 우월하며 예술은 인간의 올바른 품성을 기르고 도덕적 교훈이나 모범을 제공하는 것이라고 주장한다. 예술 지상주의는 오직 미적 가치만을 강조하며 예술의 자율성과 독립성을 강조한다.

3. ㄷ, ㄹ은 예술 지상주의에 해당한다.

4. 예술의 상업화란 상품을 사고팔아 이윤을 얻는 일이 예술 작품에도 적용되는 현상이다.

5. ④는 예술의 상업화의 긍정적 측면이다.

6. 〈보기〉는 검열 제도 찬성 입장이다. ②, ③, ④는 검열 제도 반대 입장이다.

7. ④는 명품 선호의 긍정적 입장이다.

8. 〈보기〉는 넉넉하고 푸짐한 양의 음식 준비보다는 소박하고 필요한 만큼 소비하는 삶을 강조하고 있다는 내용이다.

9. ① 정크 푸드는 칼로리는 높지만 영양가가 없는 음식으로, 패스트 푸드와 인스턴트가 해당된다. ② 로컬 푸드 운동은 장거리 운송을 거치지 않은 안전하고 건강한 지역 농산물을 구매하려는 운동이다.

11. 주거는 신체를 보호하고 심리적 안정을 도모하며, 행복한 삶을 위한 기본 터전이자, 가족·이웃과

함께 생활하는 과정에서 공동체의 유대감과 소속감을 형성한다.

12. 윤리적 소비란 평화, 인권, 사회 정의, 환경 등 인류의 보편적 가치를 실현하는 소비이다.

13. ① 차별적 배제 모형은 이주민을 특정 목적으로만 받아들이고, 내국인과 동등한 권리를 인정하지 않는 관점이다. ③ 샐러드 볼 모형은 각 재료의 특성이 살아 있는 샐러드처럼 여러 민족의 문화가 조화롭게 공존한다는 관점이다. ④ 국수 대접 모형은 주류 문화가 국수나 국물처럼 중심 역할을 하고, 이주민의 문화는 고명이 되어 자신의 문화적 정체성을 유지하면서 조화롭게 공존할 수 있다는 관점이다.

14. 〈보기〉는 샐러드 볼 이론이다. 샐러드 볼 이론은 다양한 문화적 배경을 가진 사람들이 서로의 이익 추구와 협조를 통한 조화를 이루면서 다원화 사회를 형성할 수 있다는 이론이다.

16. 문화 상대주의는 각각의 문화는 그 문화의 환경과 전통 속에서 이해하고, 있는 그대로 인정해 주어야 한다고 본다.

17. 종교는 개인의 불안감을 극복하고 마음의 안정을 얻게 하고, 삶의 바람직한 방향을 모색할 수 있게 한다. 또한 인류의 보편적 가치를 추구하는 등 사회 통합을 이루는 계기가 되기도 한다.

18. 종교 간의 갈등을 해결하기 위해서는 다른 사람이 믿는 종교에 대한 충분한 이해와 관용의 태도를 가져야 한다.

06. 평화와 공존의 윤리

1. ④	2. ③	3. ④	4. ②	5. ④
6. ③	7. ②	8. ④	9. ①	10. ①
11. ④	12. ①	13. ④	14. ④	15. ③
16. ③	17. ①	18. ④	19. ②	20. ②

1. ㄱ. 역지사지는 갈등의 해결 자세이다.

3. 사회 통합을 위해서는 사회의 가치를 분배하는 과정에서 소외받는 사람이 생기지 않도록 해야 한다.

4. ① 소통은 막히지 않고 잘 통함을 뜻하고, 나와 상대방이 서로 의견을 주고받는 공유의 과정이다.

5. 하버마스가 주장한 이상적인 담화의 조건은 진리성, 정당성, 진실성, 이해가능성이다.

6. 공자가 주장한 화이부동(和而不同)은 군자는 자신의 도덕 원칙을 지키면서 주변과 조화를 추구한다는 뜻이다.

7. 바람직한 토론을 위해서는 자기 생각만이 옳다는 독선주의를 경계하고, 관용의 태도를 지녀야 한다. 다수결의 한계를 보완하기 위해 사회 구성원 간의 심의와 합의가 필요하고, 서로 이해 가능한 언어를 통해 자유롭고 평등하게 발언할 기회를 보장해야 한다.

9. ② 평화비용은 통일 이전까지 한반도의 평화 정착과 유지에 지출되는 비용이다. ③ 통일 과정에서 소요되는 경제적·경제 외적 비용이다.

10. 바람직한 통일을 위해서는 남북의 상호 신뢰를 회복하여 민족의 동질성을 회복해야 하며, 남북한의 상호 호혜적인 관계가 형성되어야한다. 그러기 위해서는 단계적이고 점진적인 방법으로 이루어져야 한다.

11. 독일은 통일 이후 사회·문화적 통합의 어려움과 갈등을 겪었다. 이러한 문제를 해결하기 위해서는 문화적 이질성을 인정하고 상호 존중하는 태도가 필요하다.

12. 열린 민족주의는 자민족의 정체성을 중요하게 여기면서도 다른 민족을 인정하고 외부 세계의 변화에 적극적으로 대응하는 입장이다.

13. 통일 한국이 지향해야 할 가치는 평화, 자유, 정의, 인권이다.

15. ① 이상주의는 인간은 이성적인 존재이지만 국가 간의 오해와 잘못된 제도로 국가 간의 분쟁이 발생한다고 본다. 국가 간의 분쟁을 해결하기 위해서는 국제 기구를 통한 대화와 타협 방안을 마련하거나 국제 여론이나 국제법을 통해 국가 간 분쟁을 억제할 수 있다고 주장한다.

17. ① 전쟁이나 물리적인 폭력만이 없는 상태는 소극적 평화이다.

18. 국제 분쟁을 해결하기 위해서는 상호 존중과 관용의 자세를 지녀야 하고, 대화와 타협 등 평화적 수단을 활용하려는 자세를 함양해야 한다.

19. ② 분배적 정의는 가치나 재화의 공정한 분배를 통해 실현되는 정의이다. ① 형사적 정의는 범죄에 대한 정당한 처벌을 통해 실현되는 정의이다.

20. 〈보기〉는 원조를 인도적 의무로 보고 모든 사람들의 이익 관심은 차별 없이 동등하게 고려되어야 한다는 이익 평등 고려의 원칙을 바탕으로 모든 인류의 복지 향상을 주장하는 싱어이다.

실전모의고사

01. 실전모의고사

1. ②	2. ①	3. ①	4. ②	5. ③
6. ④	7. ④	8. ④	9. ③	10. ①
11. ②	12. ④	13. ②	14. ④	15. ③
16. ③	17. ①	18. ④	19. ③	20. ①
21. ②	22. ③	23. ③	24. ①	25. ③

1. 실천 윤리학은 이론 윤리를 현대 사회의 여러 문제에 적용하여 구체적인 윤리 문제를 해결하는 데 초점을 두는 학문으로, 생명 윤리, 정보 윤리, 환경 윤리 등이 포함된다.

2. 도가는 천지 만물의 근원인 도(道)에 따라 인위적으로 강제하지 않고 자연스러움을 따르는 무위자연(無爲自然)의 삶을 강조한다.

4. 사회 계약설에 대한 내용이다. 사회 계약설의 대표적 사상가는 홉스, 로크, 루소이다.

5. 세대 갈등에 대한 설명이다. 세대 갈등은 연령별, 시대별 경험 차이로 인해 나타나는 보편적 현상으로, 각 세대가 서로의 차이를 이해하지 못해서 발생한다.

7. 시민 불복종은 부정의한 법과 정책에 대한 시민들의 의도적 위법 행위이다. 시민 불복종의 정당화 근거는 비폭력성, 최후의 수단, 처벌 감수, 목적의 정당성이 있다.

8. 〈보기〉에서 설명하는 관계는 형제·자매 관계이다. ④ 형우제공(兄友弟恭)은 '형은 아우를 사랑하고 아우는 형을 공경한다.'라는 의미이다.

9. 롤스의 차등의 원칙에 대한 설명이다. 차등의 원칙은 사회적 약자에 대한 우선적 배려를 하는 것으로 복지권과 관련있다.

10. 사이버 불링은 사이버 폭력에 해당하는 행위로, 정보 통신기기를 이용하여 상대방을 괴롭히는 행위이다.

12. 하버마스가 제시한 이상적 담화의 조건은 진리성, 정당성, 이해가능성, 진실성이 있다.

13. ② 안락사 반대 입장이다.

14. 〈보기〉는 필요에 따른 분배이다. 필요에 따른 분배는 각자의 욕구나 필요에 따라 분배하는 것으로 사회적 약자를 배려할 수 있다. 그러나 필요한 만큼 재화가 불충분하고 효율성을 저하시킨다는 문제가 있다.

15. 도덕주의는 미적 가치보다 도덕적 가치가 우월하다고 보는 입장으로, 예술도 도덕적 교훈과 본보기를 제공해야 한다고 본다.

16. 니부어는 개인의 도덕성만으로는 문제를 해결할 수 없기 때문에 사회 제도나 정책의 개선이 필요하다고 주장한다. ③ 개인의 선한 의지나 양심만으로 문제를 해결할 수 없다.

17. 익명성은 가상 공간의 특징으로, 신분이 드러나지 않음을 말한다.

18. 직접적 폭력은 전쟁이나 테러 등의 신체적, 물리적 폭력을 말하는 것이고, 간접적 폭력은 구조적, 문화적 폭력을 말하는데 대표적으로 가난, 차별 등이 있다.

20. 〈보기〉 ㉠에 들어갈 사상가는 책임 윤리를 주장한 요나스이다. 요나스는 책임의 범위를 미래 세대와 자연으로까지 확대하였다.

21. 공자의 정명(正名)에 대한 설명이다. 정명(正名)이란 자기 맡은 바 최선을 다하는 것을 말한다.

22. ㉠에 들어갈 말은 화쟁(和諍)이다. 원효는 불교의 여러 교설 간의 대립을 해소하기 위해 화쟁(和諍)을 제시하였다.

24. 슬로 푸드(slow food) 운동이란 비만 등을 유발하는 패스트 푸드 문제를 해결하고자 가공하지 않고 사람의 손맛이 들어간 음식, 자연적인 숙성이나 발효를 거친 음식 등 전통적인 방식으로 만든 음식을 섭취하자는 운동이다.

25. 제시문의 '그'는 인간중심주의 대표적 사상가인 베이컨이다. 베이컨은 과학 기술을 이용하여 자연을 정복할수록 풍요로운 삶을 영위할 수 있다고 보았다.

02. 실전모의고사

1. ①	2. ①	3. ③	4. ④	5. ②
6. ①	7. ①	8. ③	9. ④	10. ③
11. ④	12. ④	13. ②	14. ④	15. ③
16. ③	17. ②	18. ④	19. ①	20. ③
21. ③	22. ④	23. ②	24. ①	25. ②

2. 불교의 이상적 인간상은 보살이다. 유교는 군자, 도가는 지인이다.

3. 최대 다수의 최대 행복은 공리주의가 주장한 것이다.

4. 아리스토텔레스는 인간은 사회적 동물로 보고 국가란 인간의 본성에 의해 자연적으로 만들어졌다고 주장한다.

5. 타인의 인권과 자유를 침해하지 않는 범위, 사회질서를 훼손하지 않는 범위 내에서 관용을 실천해야 한다.

6. · 도덕원리 : 수업을 방해하는 행동을(A) 해서는 안 된다.(B)
  · 사실판단 : 수업시간에 장난을 치는 것은(C) 수업을 방해하는 행동이다.(A)
  · 도덕판단 : 수업시간에 장난을 치는 것을(C) 해서는 안 된다.(B)

7. 〈보기〉는 과학 기술의 가치 중립성에 대한 설명이다. 과학 기술의 가치 중립성은 과학 기술은 윤리적 간섭과 통제에서 벗어나야 한다고 본다.

8. 〈보기〉의 사상가는 생명 중심주의의 대표적 사상가인 슈바이처이다. 슈바이처는 생명은 살아 있는 것만으로도 소중하다고 보는 생명 외경 사상을 주장한다.

9. 윤리적 소비는 윤리적 가치 판단에 따라 상품이나 서비스를 구매하고 사용하는 것을 중시하는 소비이다.

11. ④는 과학 기술의 윤리적 문제에 해당한다.

12. 롤스는 절차가 공정하면 결과도 공정하다고 주장한다. ④는 사회주의에서 주장하는 정의이다.

14. 요나스는 과학 기술의 발달과 그것을 따라가지 못하는 기존의 윤리와의 윤리적 간극인 윤리적 공백에 대한 문제를 해결하기 위해 새로운 윤리가 요청된다고 주장하였다.

15. ③ 예술의 상업화로 인해 대중적 관심은 높아질 수 있다.

16. 뉴미디어의 특징은 종합화, 상호작용화, 비동시화, 탈 대중화, 능동화, 디지털화 등이 있다.

17. 성찰에 대한 설명이다. 성찰이란 생활 속에서 자신의 마음가짐, 행동 또는 그 속에 담긴 자신의 정

체성과 가치관에 대하여 윤리적 관점에서 깊이 있게 반성하고 살피는 태도이다.

18. 분단 비용은 분단으로 인해 남북한이 부담하는 유·무형의 지출 비용으로 군사비, 외교적 경쟁 비용 등이 있다. ①, ②는 평화 비용, ③은 통일 비용에 해당한다.

19. 니부어는 개인의 도덕성보다 집단의 도덕성이 현저히 떨어지기 때문에 개인의 선한 의지나 양심만으로는 문제를 해결할 수 없다고 보고 사회 제도나 정책의 개선이 필요하다고 주장한다.

20. 의무론은 행위의 동기를 강조하는 사상이다. ①은 공리주의, ②, ④는 덕윤리에 대한 설명이다.

21. 동물 중심주의의 대표적 사상가인 싱어는 도덕적 고려의 대상을 쾌고 감수 능력을 지닌 동물까지 확대해야한다고 주장한다.

22. ㉠은 사형 존치론이다.

23. 〈보기〉는 도덕주의에 대한 설명이다. 도덕주의는 예술도 도덕적 교훈과 본보기를 제공해야 한다고 주장한다.

24. 통일 한국이 지향해야 할 가치는 평화, 자유, 인권, 정의이다.

25. 이상주의는 인간은 이성적인 존재이고 국가 역시 이성적이고 합리적인 존재로 본다. 분쟁의 원인은 국가들 간의 오해와 잘못된 제도 때문에 발생한다고 보고, 국제기구, 국제법, 국제 규범 등의 제도적 개선을 통해서 해결할 수 있다고 주장한다.

도덕

인쇄일	2022년 4월 27일
발행일	2022년 5월 4일
펴낸이	(주)매경아이씨
펴낸곳	도서출판 국자감
지은이	편집부
주소	서울시 영등포구 문래2가 32번지
전화	1544-4696
등록번호	2008.03.25 제 300-2008-28호
ISBN	979-11-5518-127-0 13370

국자감 전문서적

기초다지기 / 기초굳히기

"기초다지기, 기초굳히기 한권으로 시작하는 검정고시 첫걸음"

· 기초부터 차근차근 시작할 수 있는 교재
· 기초가 없어 시작을 망설이는 수험생을 위한 교재

기본서

"단기간에 합격! 효율적인 학습!
적중률 100%에 도전!"

· 철저하고 꼼꼼한 교육과정 분석에서 나온 탄탄한 구성
· 한눈에 쏙쏙 들어오는 내용정리
· 최고의 강사진으로 구성된 동영상 강의

만점 전략서

"검정고시 합격은 기본! 고득점과 대학진학은 필수!"

· 검정고시 고득점을 위한 유형별 요약부터
  문제풀이까지 한번에
· 기본 다지기부터 단원 확인까지 실력점검

핵심 총정리

"시험 전 총정리가 필요한 이 시점! 모든 내용이 한눈에"

· 단 한권에 담아낸 완벽학습 솔루션
· 출제경향을 반영한 핵심요약정리

합격길라잡이

"개념 4주 다이어트, 교재도 다이어트한다!"

· 요점만 정리되어 있는 교재로 단기간 시험범위 완전정복!
· 합격길라잡이 한권이면 합격은 기본!

기출문제집

"시험장에 있는 이 기분! 기출문제로 시험문제 유형 파악하기"

· 기출을 보면 답이 보인다
· 차원이 다른 상세한 기출문제풀이 해설

예상문제

"오랜기간 노하우로 만들어낸 신들린 입시고수들의 예상문제"

· 출제 경향과 빈도를 분석한 예상문제와 정확한 해설
· 시험에 나올 문제만 예상해서 풀이한다

한양 시그니처 관리형 시스템

관리형 입시학원의 탄생

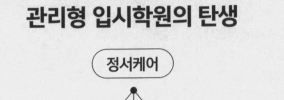

정서케어

성공적인
입시

학습케어

생활케어

검정고시 대학진학을 한번에 3중 케어

정서케어

· 3대1 멘토링
 (입시담임, 학습담임, 상담교사)
· MBTI (성격유형검사)
· 심리안정 프로그램
 (아이스브레이크, 마인드 코칭)
· 대학탐방을 통한 동기부여

학습케어

· 1:1 입시상담
· 수준별 수업제공
· 전략과목 및 취약과목 분석
· 성적 분석 리포트 제공
· 학습플래너 관리
· 정기 모의고사 진행
· 기출문제 & 해설강의

생활케어

· 출결점검 및 조퇴, 결석 체크
· 자습공간 제공
· 쉬는 시간 및 자습실
 분위기 관리
· 학원 생활 관련 불편사항
 해소 및 학습 관련 고민 상담

HANYANG
ACADEMY

| 한양 프로그램 한눈에 보기 |

· 검정고시반 중·고졸 검정고시 수업으로 한번에 합격!

기초개념	기본이론	핵심정리	핵심요약	파이널
개념 익히기	과목별 기본서로 기본 다지기	핵심 총정리로 출제 유형 분석 경향 파악	요약정리 중요내용 체크	실전 모의고사 예상문제 기출문제 완성

· 고득점관리반 검정고시 합격은 기본 고득점은 필수!

기초개념	기본이론	심화이론	핵심정리	핵심요약	파이널
전범위 개념익히기	과목별 기본서로 기본 다지기	만점 전략서로 만점대비	핵심 총정리로 출제 유형 분석 경향 파악	요약정리 중요내용 체크 오류범위 보완	실전 모의고사 예상문제 기출문제 완성

· 대학진학반 고졸과 대학입시를 한번에!

기초학습	기본학습	심화학습/검정고시 대비	핵심요약	문제풀이, 총정리
기초학습과정 습득 학생별 인강 부교재 설정	진단평가 및 개별학습 피드백 수업방향 및 난이도 조절 상담	모의평가 결과 진단 및 상담 4월 검정고시 대비 집중수업	자기주도 과정 및 부교재 재설정 4월 검정고시 성적에 따른 재시험 및 수시컨설팅 준비	전형별 입시진행 연계교재 완성도 평가

· 수능집중반 정시준비도 전략적으로 준비한다!

기초학습	기본학습	심화학습	핵심요약	문제풀이, 총정리
기초학습과정 습득 학생별 인강 부교재 설정	진단평가 및 개별학습 피드백 수업방향 및 난이도 조절 상담	모의고사 결과진단 및 상담 / EBS 연계 교재 설정 / 학생별 학습성취 사항 평가	자기주도 과정 및 부교재 재설정 학생별 개별지도 방향 점검	전형별 입시진행 연계교재 완성도 평가

HANYANG ACADEMY

D-DAY를 위한 신의 한수

검정고시생 대학진학 입시 전문

검정고시 합격은 기본!
대학진학은 필수!

입시 전문가의 컨설팅으로 성적을 뛰어넘는 결과를 만나보세요!

HANYANG ACADEMY

YouTube

모든 수험생이 꿈꾸는
더 완벽한 입시 준비!

입시전략 컨설팅　　수시전략 컨설팅　　자기소개서 컨설팅

면접 컨설팅　　　　논술 컨설팅　　　　정시전략 컨설팅

입시전략 컨설팅
학생 현재 상태를 파악하고 희망 대학
합격 가능성을 진단해 목표를 달성
할 수 있도록 3중 케어

수시전략 컨설팅
학생 성적에 꼭 맞는 대학 선정으로
합격률 상승! 검정고시 (혹은 모의고사)
성적에 따른 전략적인 지원으로 현실성
있는 최상의 결과 보장

자기소개서 컨설팅
지원동기부터 학과 적합성까지 한번에!
학생만의 스토리를 녹여 강점은
극대화 하고 단점은 보완하는
밀착 첨삭 자기소개서

면접 컨설팅
기초인성면접부터 대학별 기출예상질문
대비와 모의촬영으로 실전면접
완벽하게 대비

대학별 고사 (논술)
최근 5개년 기출문제 분석 및 빈출 주제를
정리하여 인문 논술의 트렌드를 강의!
지문의 정확한 이해와 글의 요약부터
밀착형 첨삭까지 한번에!

정시전략 컨설팅
빅데이터와 전문 컨설턴트의 노하우 /
실제 합격 사례 기반 전문 컨설팅

HANYANG
A C A D E M Y

MK 감자유학

Valuable education content provider

We're Experts

우리는 최상의 유학 컨텐츠를 지속적으로 제공하기 위해 정기 상담자 워크샵, 해외 워크샵, 해외 학교 탐방, 웨비나 미팅, 유학 세미나를 진행합니다.

이를 통해 국가별 가장 빠른 유학트렌드 업데이트, 서로의 전문성을 발전시키며 다양한 고객의 니즈에 가장 적합한 유학솔루션을 제공하기 위해 최선을 다합니다.

KEY STATISTICS

30년+	17개	15년	24개국	2,600+
전통교육그룹	국내최다센터	평균상담경력	해외네트워크	해외교육기관
Educational	**The Largest**	**Specialist**	**Global Network**	**Oversea Instituitions**

Educational

감자유학은 교육전문그룹인 매경아이씨에서 만든 유학부문 브랜드입니다. 국내 교육 컨텐츠 개발 노하우를 통해 최상의 해외 교육 기회를 제공합니다.

The Largest

감자유학은 전국 어디에서도 최상의 해외유학 상담을 제공할 수 있도록 국내 유학 업계 최다 상담 센터를 운영하고 있습니다.

Specialist

전 상담자는 평균 15년이상의 풍부한 유학 컨설팅 노하우를 가진 전문가 입니다. 이를 가반으로 감자유학만의 차별화된 유학 컨설팅 서비스를 제공합니다.

Global Network

미국, 캐나다, 영국, 아일랜드, 호주, 뉴질랜드, 필리핀, 말레이시아아 등 감자유학 해외 네트워크를 통해 발빠른 현지 정보 업데이트와 안정적인 현지 정착 서비스를 제공합니다.

Oversea Instituitions

고객에게 최상의 유학 솔루션을 제공하기 위해서는 다양하고 세분화된 해외 교육기관의 프로그램이 필수 입니다. 2천개가 넘는 교육기관을 통해 맞춤 유학 서비스를 제공합니다.

 2020
대한민국 교육 산업
유학 부문 대상

 2012 / 2015
대한민국 대표
우수기업 1위

 2014 / 2015
대한민국 서비스
만족대상 1위

OUR SERVICES

현지 관리
안심시스템

엄선된
어학연수교

전세계 1%대학
입학 프로그램

전문가
1:1 컨설팅

All In One
수속 관리

해외
어학연수

English Language Study

해외
인턴십

Internship

해외
대학유학

University Level Study

해외
초중고유학

Early Study abroad

해외
영어캠프

English Camp

24개국 네트워크 미국 | 캐나다 | 영국 | 아일랜드 | 호주 | 뉴질랜드 | 몰타 | 싱가포르 | 필리핀

국내 유학업계 중 최다 센터 운영!

감자유학 전국센터

강남센터	강남역센터	분당서현센터	일산센터	인천송도센터
수원센터	청주센터	대전센터	전주센터	광주센터
대구센터	울산센터	부산서면센터	부산대연센터	
예약상담센터	서울충무로	서울신도림	대구동성로	

문의전화 **1588-7923**

🕊 왕초보 영어탈출 **구구단 잉글리쉬**

ABC 알파벳부터 회화까지~~ 구구단보다 쉬운영어~ ♪♬

01 | **구구단잉글리쉬는 왕기초 영어 전문 동영상 사이트 입니다.**
알파벳 부터 소리값 발음의 규칙 부터 시작하는 왕초보 탈출 프로그램입니다.

02 | **지금까지 영어 정복에 실패하신 모든 분들께 드리는 새로운 영어학습법!**
오랜기간 영어공부를 했었지만 영어로 대화 한마디 못하는 현실에 답답함을 느끼는 분들을
위한 획기적인 영어 학습법입니다.

03 | **언제, 어디서나 마음껏 공부할 수 있는 환경을 제공해 드립니다.**
인터넷이 연결된 장소라면 시간 상관없이 24시간 무한반복 수강!
태블릿 PC와 스마트폰으로 필기구 없이도 자유로운 수강이 가능합니다.

체계적인 단계별 학습

파닉스	어순	뉘앙스	회화
·알파벳과 발음 ·품사별 기초단어	·어순감각 익히기 ·문법개념 총정리	·표현별 뉘앙스 ·핵심동사와 전치사로 표현력 향상	·일상회화&여행회화 ·생생 영어 표현

파닉스		어순		어법
1단 발음트기	2단 단어트기	3단 어순트기	4단 문장트기	5단 문법트기
알파벳 철자와 소릿값을 익히는 발음트기	666개 기초 단어를 품사별로 익히는 단어트기	영어의 기본어순을 이해하는 어순트기	문장확장 원리를 이해하여 긴 문장을 활용하여 문장트기	회화에 필요한 핵심문법 개념정리! 문법트기

뉘앙스		회화	
6단 느낌트기	7단 표현트기	8단 대화트기	9단 수다트기
표현별 어감차이와 사용법을 익히는 느낌트기	핵심동사와 전치사 활용으로 쉽고 풍부하게 표현트기	일상회화 및 여행회화로 대화트기	감 잡을 수 없었던 네이티브들의 생생표현으로 수다트기

🕊 왕초보 영어탈출
구구단 잉글리쉬